哲学ってなんだろう？

哲学の基本がわかる図鑑

DK社 編　　山本貴光 訳

東京書籍

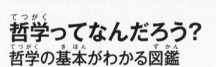

DTP	株式会社リリーフ・システムズ
装幀	常深紗季、吉田智美（東京書籍）
カバー印刷	図書印刷株式会社

てつがく
哲学ってなんだろう？
てつがく　　　き ほん　　　　　　　　　ず かん
哲学の基本がわかる図鑑

2024年3月8日　第1刷発行

編者　　　ＤＫ社
　　　　　ディーケーしゃ
訳者　　　山本貴光
　　　　　やまもとたかみつ

発行者　　渡辺能理夫
発行所　　東京書籍株式会社
　　　　　〒114-8524　東京都北区堀船2-17-1
　　　　　電話　03-5390-7531（営業）
　　　　　　　　03-5390-7515（編集）

ISBN 978-4-487-81663-7 C0010 NDC100
Japanese Translation Text ©2024 by Takamitsu Yamamoto
All Rights Reserved.
Printed(jacket) in Japan
出版情報　https://www.tokyo-shoseki.co.jp
禁無断転載。乱丁・落丁の場合はお取替えいたします。

www.dk.com

訳者まえがき

「哲学」は謎から出発します。なんの謎かといえば、この世界のさまざまなものについての謎です。宇宙ってどんな場所だろう、自分はずっと同じ人間なんだろうか、よいとか悪いってどう違うんだろうとか、いろんなものが謎だらけです。この本は、そうした謎について過去の哲学者たちが考えたことをヒントに、どんなふうに考えられるかを教えてくれます。そうそう、この本を手にしたばかりの君にとっては「哲学」だって謎かもしれません。分からないことを楽しみながら、何度も読むのがコツですよ。

山本貴光

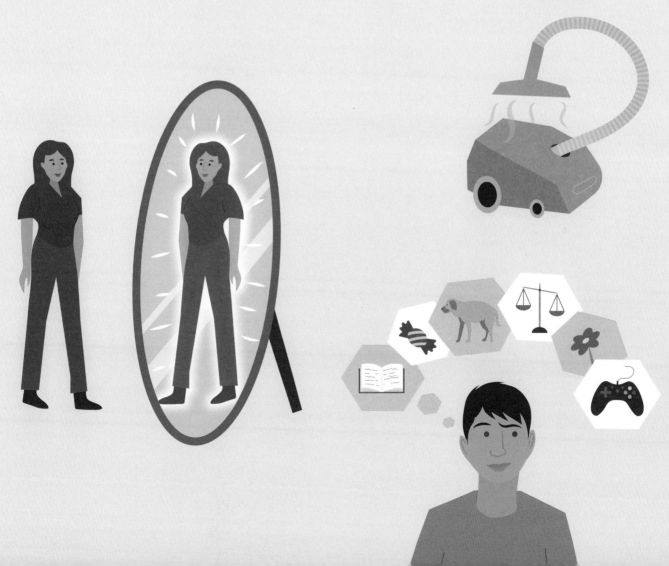

もくじ

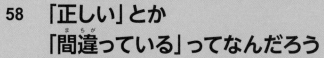

この本に出てくる年号は、西暦で書かれている。西暦紀元は、イエス・キリストが生まれたと考えられている年だ。その翌年を西暦１年という。それより前に起こったできごとは、紀元から何年前に起こったかを「紀元前～年」と表している。

哲学ってなんだろう

哲学は、なによりも問う楽しみのことだ。例えば、世界についてとか、人生についてとか、将来どんな人になりたいかとか。しかも、必ず答えが分かるわけじゃない！　どんな年の人も、みんな哲学が大好きだ。哲学は、なにかについて明確に考えたり、想像を働かせたり、誰かにアイデアを伝えたりする場合に、とても役に立つ道具にもなる。

世界を調べてみる

世界についての疑問の中には、科学では答えられないものがある。例えば「この世界は本物なの?」とか「なぜ私たちはここにいるの?」とか。こういう疑問について、哲学は「これで間違いなし」という答えを教えてくれるわけじゃない。でも、哲学は、こういう考え方の検討を通じて、世界とか、私たちが住んでいる場所について教えてくれる。

問題を解決する

哲学ははじめ、人が生きる中で出会うあれこれの大きな問題を解決するために発展した。最初の頃の哲学者たちは、それぞれの問題を分解して、その中心にあるものを見つけようとした。そして、いろいろな解決法を探したんだ。君も自分が抱えている問題について同じように試せるよ。

筋道立てて考える

哲学では、明確で論理に従った推論を使って議論する。哲学を学んで他の人と検討するのは、心のよいトレーニングになる。それに、なにかのテーマについて、考えをまとめたり、もっと明確に考える役に立つ。

アイデアを生み出す

いろいろなアイデアを研究しておくと、自分で発明したいときにも役立つ。哲学者は、考える腕を磨いているから、いざ未経験の状況に遭遇したときでも、新しいアイデアを組み合わせることができる。そんなわけで哲学者は、難しい問題に直面した場合でも建設的によく考えられるわけだ。

なにが正しいかを決める

哲学には「なにが正しいのか」「他の人をどう扱うべきか」といった問題の探求に専念する分野がある。他にも哲学者たちは、「動物をどう扱うべきか」とか「私たちがいる惑星をどう扱うべきか」といったことも検討している。

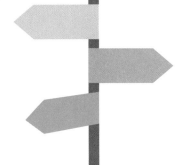

仮定を疑ってみる

自分が信じていること（信念）に疑問を持たずに生きている人は多い。そういう場合、なにかしらの仮定があるものだ。例えば、なんの証拠もないのに、ある事柄を正しいと受けとったりする。哲学を学ぶと、他の誰かが前提としている仮定や自分が知らないうちに持っている仮定に気がついたり、「それって本当かな」と考えたりするやり方が身につけられる。

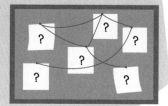

自分で考えてみる

自分で考えられるのは大切なことだ。哲学の歴史を見てみると、同時代の他のみんなの考えに逆らって考えたり、それまでにないやり方で考え始めた人がたくさん見つかる。

自分の意見を調べてみる

他の人たちの意見を学ぶと、自分の意見を批判的に確認する役に立つ。ある話題について、いろいろな哲学者たちのアイデアを比べてみると、自分がどうして他でもないある仕方で考えるのかを調べられる。そうすると、自分の考えを変えることもできる。

両側を見てみる

哲学者は、ある考え方に同意しない場合がある。ただし哲学全体では、幅広い多様な意見を提示することに、より多くの関心を持っている。たくさんの観点を見てみれば、違いを比べられるし、さらには隠れた共通点の見つけ方を学べるからだ。

議論してみる

哲学を学ぶと、他の人に向けて自分の議論を説得的に伝える役に立つ。それから、他の人が間違った議論をしている場合にも気づきやすくなる。

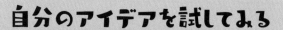

自分のアイデアを試してみる

といっても、実験にとりくむ科学者だけに限らない。哲学者も自分のアイデアを試す。哲学者は、想像の中で状況を設定して、そこで自分のアイデアを試してみる。その状況からどんな結果が出てくるだろうと考えてみるわけだ。そんなふうに試すことを「思考実験」という。この本でもいろんな思考実験の例に出会えるよ。

情報を評価してみる

哲学は、目や耳にする考えや情報をそのまま受け入れるなと教える。そういう考えや情報に、ちゃんと論拠があるかどうかを確認する必要があるからだ。また、その考えや情報は偏っていてもいけない。つまり、訳もなく特定のものの見方に傾いてはいけないのだ。

「存在」ってなんだろう

古代の哲学者たちが、答えを見つけようとした疑問の一つに「存在」〔なにかがあるということ〕という謎がある。例えば「宇宙は何からできている?」とか「私たちがいる場所はなんなのか」とか。そんなふうに古代の哲学者たちが考えたことを土台として、物理学や化学や生物学といった現代の科学が生まれてきた。それに原子が存在するという発見もなされてきたのだった。私たち自身は、どんな性質を持った存在なのか。こういう疑問について考えると、生きる目的を見つけたり、他の人たちが信じていることを理解したり受け入れたりしやすくなる。

一番小さいものはあるのか

この世界にはとても小さくて、顕微鏡でないと見えないものがあるのを知っているかな。科学では、特別な装置を使わないと、あるかどうかも分からないくらい小さな粒子も発見されている。では、小さすぎて、それ以上分けられないような粒子はあるだろうか。それとも、物は、どこまでも半分に切ることができて、もうそれ以上は切れないということにはならないのだろうか。

1 例えば、砂粒をどんどん切っていったら、どこまで小さく分けられるだろう。これは哲学で最も古くから議論されている疑問だ。これについては古代ギリシアの2人の思想家が、お互い反対の見方をしていた。

デモクリトスは、アトムは硬いもので壊せないと考えた。

2 デモクリトスはこう考えた。砂粒はそれ以上小さく分けることはできない。そういう小さな粒子を「アトム（原子）」と呼んだ。宇宙にあるものはなんでも全部、アトムが集まってできている、という考え方だ。

現実の世界では

アトム（原子）

現在の科学者は、どんなものもアトムからできていると考えている。ただし、この場合のアトムは、デモクリトスが考えていたものとは違う。科学者のいうアトムは、さらに小さい粒子に分けることができるからだ。

君ならどう考える?

- ある物をどんどん小さく分けていったら、最後にはなにもなくなってしまうだろうか。

- 宇宙にあるすべての物は、一種類の物からできているだろうか。それとも複数の種類の物からできているだろうか。それはどうしてだろう。

アリストテレスは、物はいくらでも切り分けられると考えた。

3 アリストテレスはデモクリトスに反対してこう述べている。砂粒(すなつぶ)は、いくらでも小さく切り分けられる。アリストテレスは、アトム(原子)が存在していると信じていなかった。彼(かれ)の見方は、その後2000年のあいだ事実として受け止められた。

宇宙の基本要素

古代ギリシアの哲学者(てつがく)の中には、宇宙の万物をつくっている物質を見つけたいと考えた人がいた。哲学者たちは、候補となる物質を「第一原理」と呼んだ。古代ギリシア人は、なにが第一原理なのかについて、「水だろう」とか「いや、火だ」などと、さまざまな考えを持っていた。

古代ギリシアの思想家タレスは、水が第一原理だと考えていた。

四元素

古代ギリシアの哲学者(てつがく)エンペドクレスは、次のように信じていた。宇宙は、火、土、空気、水という四つの元素が混ざってできている。この四つの元素が「愛」という力で結び付き、「不和」という力によって壊(こわ)れたり離(はな)れたりする。

空気

火

水

土

無はあるの？

「ある」とか「無い」とか言うけれど、これはどういう意味だろう。「ある」とは、なにかが存在することと定義できる。「ある」ということについて考えると、家族とか友だちといったものから、お気に入りのオモチャや本やヴィデオゲームみたいなものまで、なにかしらのものが思い浮かぶ。では、「無い」のほうはどうだろう。なにが思い浮かぶだろう。空っぽの空間とか暗闇を想像しただろうか。「無い」ということを正確に言うには、どんなふうに定義できるだろう。「なにも無いということはあり得るだろうか」といろいろな哲学者たちが思いを巡らせてきた。

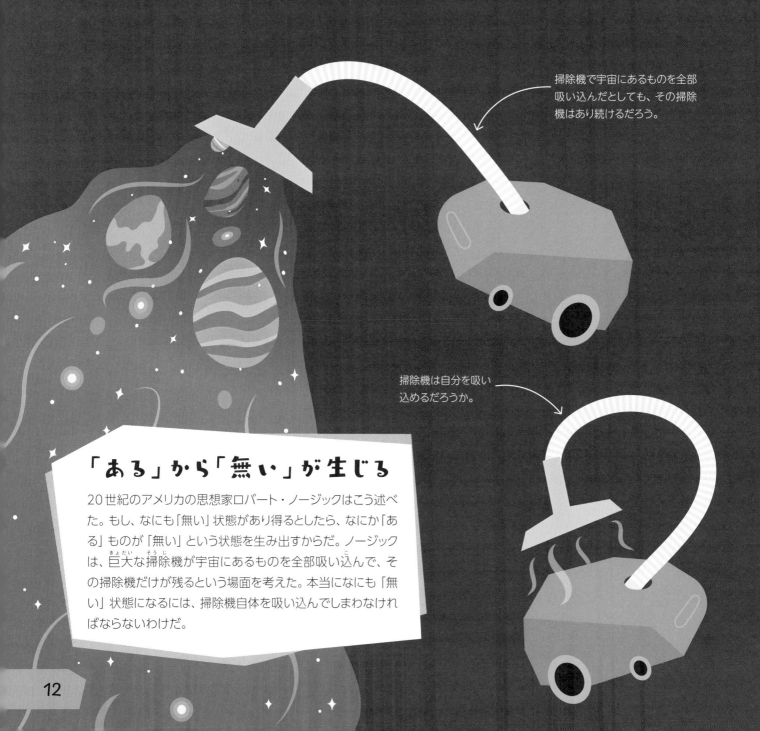

掃除機で宇宙にあるものを全部吸い込んだとしても、その掃除機はあり続けるだろう。

掃除機は自分を吸い込めるだろうか。

「ある」から「無い」が生じる

20世紀のアメリカの思想家ロバート・ノージックはこう述べた。もし、なにも「無い」状態があり得るとしたら、なにか「ある」ものが「無い」という状態を生み出すからだ。ノージックは、巨大な掃除機が宇宙にあるものを全部吸い込んで、その掃除機だけが残るという場面を考えた。本当になにも「無い」状態になるには、掃除機自体を吸い込んでしまわなければならないわけだ。

「無い」は「ある」

20世紀のはじめ頃、フランスの哲学者アンリ・ベルクソンはこう述べている。「無い」というものなどない。なぜなら、空っぽの空間でも、人はなにかが「ある」と感じるものだ。例えば、宇宙を漂っている宇宙飛行士は、真っ暗闇を目にしている。真っ暗闇にはなにかが「ある」。つまりなにも「無い」という存在はあり得ないのである。

ゾウについて考えちゃダメ！

古代ギリシアの哲学者パルメニデスも、「無い」という状態は存在しないと考えた。彼はこう言っている。人は、そもそもなにも「無い」ということを考えられない。なぜなら「無い」という状態について考えようとした途端、「ある」になってしまうからだ。例えば、誰かが君にこう言ったとしよう。「いいかい、ゾウについて考えちゃダメだよ！」でも、お分かりのように、そう言われてゾウについて考えないなんて無理な相談だ。（「ゾウについて考えないぞ」と考えた途端、ゾウについて考えちゃうわけだから）

ゼロ

数字のゼロは「無い」ことを示す記号だ。ところで、古代の哲学者たちは「無い」という考え方と悪戦苦闘していた。そのせいで、何世紀ものあいだ、数の発展が邪魔されたし、数学の進みも遅くなった。7世紀のインドで、哲学者と数学者が「無い」というアイデアを受け入れたとき、ようやくゼロという数を生み出せたのだった。

ユニコーンは存在する？

パルメニデスはこう言っている。「「無い」は「無い」から生じる」、つまり「ある」は「無い」から生じるはずがないという意味だ。「それは何か」という状態だけがあり得て、「それは何ではないか」という状態はあり得ないのだ。なにか存在している「ある」ものが存在しないということはあり得ない。それに「「ある」ものではない」なにかが、急に「「ある」もの」にはならない。あらゆるものは存在しているはずだし、これまでもずっと存在してきた。たとえユニコーンが現実の生物ではないとしても、私たちの心の中のアイデアとして存在しているのだ。

現実ってなに?

「現実とはなにか」といえば、なんだか奇妙な疑問のように思えるかもしれない。といっても、身の回りを眺めてみれば、あれもこれもなんであれ、十分現実に見えるだろう。でも、世界の性質についての議論で、哲学者は意見が分かれている。一方には、世界は物理的なものからできていると考える人がいて、「唯物論者」という。他方には、すべてのことは心の中にあるのだと考える「観念論者」がいる。

機械じかけの宇宙

17世紀のイギリスの哲学者トマス・ホッブズは唯物論者だった。彼は、この宇宙にあるものはなんでもかんでも、惑星であれ人間であれ、物理にしたがって物が動いたり、お互いに作用するのと同じように説明できると考えた。ホッブズは、あらゆるものが一緒になって一つの機械のように働いていると見ていたのだ。

チャールヴァーカ学派

チャールヴァーカ学派は、古代インドの哲学で紀元前6世紀に始まった。この学派では、こんなふうに主張した。この世界には、感覚によって知覚できるものだけが存在している。例えば、目の前にあるおいしいご馳走は現実のものだ。なぜなら目に見えるし、食べれば味わえるからだ。

現実は心の中にある

18世紀のこと。アイルランドの哲学者ジョージ・バークリーは、観念論の考え方をさらに進めてこう主張した。この世界は、私たちが心と感覚で知覚できるものだけでできている。ただし、この考え方から疑問も生まれてくる。もし、ある物を誰も知覚していなかったら、その物は存在しているのだろうか。

この石は現実にあるだろうか。それともジョンソンの心の中だけにあるのだろうか。

1 君はいま、自分の家を見ているとする。家は現実にそこにあって、いろんなものはみんな適切な位置にあるように思える。

石を蹴る

イギリスの文筆家サミュエル・ジョンソンは、バークリーと同じ時代の人で、バークリーの考えが間違っていることを示そうとした。よく知られた話だが、ジョンソンは石を蹴って、それが硬い物であって心のなかにある考えなんかではないと示そうとした。でも彼は勘違いをしていた。その石がただの考えだとしたら、石を蹴ったときに感じることも考えなのだから。

2 次にこんな場面を想像してみよう。君は、ついさっきまで見ていた家に背を向ける。このとき、家はまだそこにあるだろうか。どう思う？

君ならどう考える？

- いま、君はこの本を手にとって読んでいる。本があると感じているし、目にも見えている。今度は、本を置いて目を閉じてみよう。本がまだそこにある、という証拠はなにかあるかな。

- 君が見ている身の回りの世界は、友だちが見ている世界と同じだろうか。

3 もし現実が、私たちの思い浮かべる考えでしかないのだとしたら、その家をなんらかの仕方でつくりあげている考えそのものは、どうやって成り立っているのだろう。

同じ川に二度足を入れられるか

ずっと同じままでいるものはあるだろうか。常になにかが変化しているように見える。木は葉を生い茂らせるし生長する。晴れた日の終わりに空が曇るかもしれない。私たちが目にするそうした変化は、なにか「新しい」ものが生み出されたということなのだろうか。そうでないとしたら、なにかものごとが「同じ」ままでいるとは、どういう意味だろう。川は水からできている。でも、水が常に流れているのだとしたら、同じ川に二度足を入れられるだろうか。

1 こんな想像をしてみよう。ある家族が川のそばで過ごしている。お昼ご飯の用意ができるまで、子供たちは川で遊んでいる。子供たちの周りで川はゆっくり流れていて、魚たちも泳いでいる。

川の中では魚やいろんな生き物が動いている。

あらゆるものは流れている

「同じ川に二度足を入れられるか」という例を最初に
持ち出したのは、古代ギリシアの哲学者ヘラクレイ
トスだった。初期ギリシアの哲学者たちは、複雑な
世界を理解するには、なにかしら固定された要素、
つまり同じままに留まるようなものを見つければよ
いと考える人がいた。でも、ヘラクレイトスは、世界
を「流れるもの」だと書き残している。どういう意味
かといえば、あらゆるものは常に流れているし、変
わり続けている、ということだ。ちょうど木が季節ご
とに変わっていくようなものだ。

2 家族揃ってお昼ご飯を食べてい
るあいだも川は流れている。さっ
きまで目にしていた水や魚は流れ去っ
ている。子供たちも変化している。な
にしろお腹いっぱい食べたんだから！

3 しばらくしてから子供たちは川に戻る。このと
き、そこは同じ川だろうか。答えは言語の使い
方によるかもしれない。20世紀のオーストリア出身
でイギリスの思想家ルートヴィヒ・ウィトゲンシュタ
インはそう考えた。川を「常に流れている水の本体」
と定義するなら、なんの問題もない。そう考えるなら、
前のほうにあった水が流れてきたのだとしても、同
じ川と言えるわけだ。

新品？ それとも新品同様？

時間とともに物が変わってゆく場合、その物は同じままだろうか。それとも、なにか新しいものになったのだろうか。ある物に、どのくらいの変化が起きたら、以前とはすっかり別のものになるのだろう。時間の流れの中で、なにかが同一かどうかという疑問を考えるには「テセウスの船」といううってつけの思考実験がある。

テセウスの船

この思考実験について初めて書いた古代ギリシアの文筆家プルタルコスは、ギリシア神話の英雄テセウスが冒険から帰ってくるところから話を始めている。アテネの人たちはテセウスを歓迎（かんげい）した。そしてテセウスを讃（たた）えるために、港に彼（かれ）の船を保管することにした。

50年後…

ひどい嵐で、テセウスの船は傷んでしまった。帆（ほ）に穴が空き、オールも何本か折れてしまった。といってもすぐに修理して、元通りになった。

60年後…

何年も港に置かれていたので船が腐（くさ）ってしまった。そこで大がかりな分解修理を行った。たくさんの木材を新しいものに入れ替（か）えた。おかげで船はいくらか新しくなった。それでもテセウスの船だと分かる。

船にいくらか新しい木材が加わった。

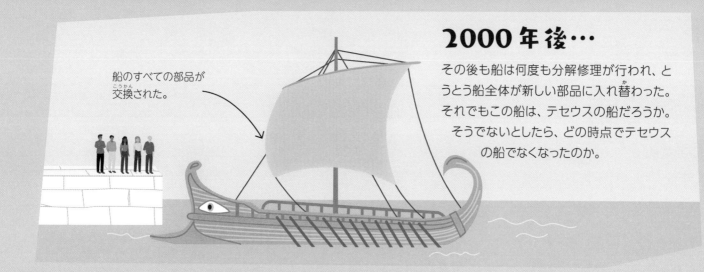

2000年後…

その後も船は何度も分解修理が行われ、とうとう船全体が新しい部品に入れ替わった。それでもこの船は、テセウスの船だろうか。そうでないとしたら、どの時点でテセウスの船でなくなったのか。

船のすべての部品が交換された。

どちらがテセウスの船?

さらに17世紀イギリスの哲学者トマス・ホッブズはこんな想像をした。誰かが元の船の古くて腐った部品を全部保管していたとする。その部品を復元して、それを使って船を造り直したとする。その結果、テセウスの船とされるものが二艘になった。どっちが「本物」だろうか。

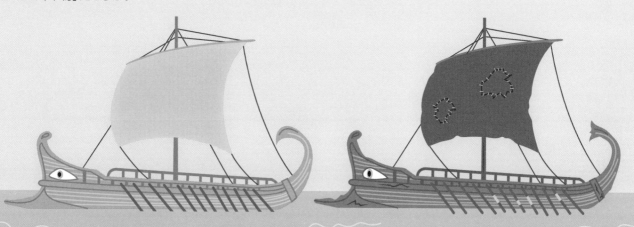

部品が全部新しくなった船　　　　　　元の部品で復元された船

君ならどう考える?

- お気に入りのオモチャがあるとしよう。人形とかアクションフィギュアとか。ある日、腕がとれてどこかに行ってしまった。でも、運よくオモチャ会社が新しい腕を送ってくれた。では、そのオモチャは「新しい」ものになったのだろうか。

- 両足がどこかへ行ってしまって付け替える場合はどうだろう。頭もなくなって付け替えたらどうか。それでもまだ、そのオモチャは元のオモチャなんだろうか。同じオモチャだと感じられるのは、元のオモチャの部品がどのくらい残っている場合だろう。

私はなにからできている？
私って？

自分を自分にしているものはなにか、と考えてみたことはあるかな。生まれてからずっと、私たちはたくさん変化する。例えば、髪が伸びたり、乳歯がとれたり、永久歯が生えたり、背が伸びたりする。好き嫌いもよく変わる。といっても、変わるたびに「新しい」人になったとは言わない。では、なにか変わらないこともあるのだろうか。つまり、以前といまとで同じ人であり続けるのだろうか。

私の体が私

こんな場面を想像してみよう。ある日、昔の友だちに会ったら、着ている服から髪型まで、見た目がすっかり変わっていた。それでも、その友だちだと分かるだろう。体にはいろんな変化が生じる可能性があるから、自分を自分にしているのは、体だけではないはずだ。

女の子の友だちは、すっかり新しい髪型になっていた。

あら、見違えるみたい

彼の外見は変わったけれど、女の子はそれでも彼のことが分かる。

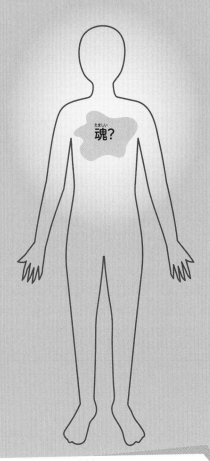

魂？

私には魂がある

古代ギリシアの思想家プラトンのように、人はみんな「魂」を持っていると信じる哲学者もいた。魂は体から切り離されていて、永遠に変わらないまま生き続ける。そう信じている思想家たちは、時の流れの中で、他のあらゆることが変わったとしても、私が同じ人でいるのは魂のおかげだと主張している。

この靴直しの人が王子の記憶を持っていたら、彼は王子なのだろうか。

記憶こそがすべて

17世紀イギリスの哲学者ジョン・ロックは、こう考えた。記憶こそが、私たちの個性（アイデンティティ）をもたらしている。ロックは、ある王子と靴直しの職人の体はそのままに、お互いの記憶が入れ替わったらどうなるかと想像してみた。靴直しの体をもった人は、自分が王子だと考えるだろう。ロックによれば、この人こそが王子なのだ。

記憶は信じられない

ロックの理論に対して、記憶は間違えることがある、という批判がある。例えば、誰かが事故で頭を打ったとしよう。その結果、それまでどんな生活をしていたかまったく思い出せない。そこへ、その人を知っている誰かがやってくる。同じ記憶を持っているからといって、自分が以前誰だったか、いま自分は誰なのかを関連づけられるわけではないのだ。

この人は、鏡に映る自分が誰なのか分からない。

1 20世紀イギリスの思想家デレク・パーフィットは、「遠隔移動のパラドックス」という思考実験を提案している。ある人の情報をまるごとデジタルのビームで火星に送ることができる装置があるとしよう。その過程で地球側のその人は「消去」される。

2 地球にいるその人に関するあらゆること、物としての体や記憶もひっくるめて全部が火星で再生される。この火星にいる人は、元の〔地球にいた〕人が新しい場所に転送されたのだろうか。それともまったく新しい人だろうか。

もう1人の「私」はあり得る？

私たちは自分を唯一の存在だと思っている。それに、自分と同じ個性（アイデンティティ）を共有している他人なんていないと思っている。一卵性双生児は、物理的な外見は同じだとしても、その双子は互いに別の人だ。性格や経験や記憶はいくらか違っている。では、自分と完璧に同じコピーをつくることができたらどうだろう。その場合、自分の個性（アイデンティティ）はどういう意味を持つだろう。

現実の世界では

ヒツジのドリー

生物のコピーをつくるなんてとんでもないアイデアだと思うかもしれない。でも、実際に行われたことだ。その最初の例はヒツジだった！「クローニング」という処理で、科学者たちはヒツジから採った一つの細胞から、新たに1匹の動物を成長させて、ドリーと名づけた。

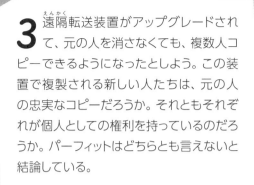

3 遠隔転送装置がアップグレードされて、元の人を消さなくても、複数人コピーできるようになったとしよう。この装置で複製される新しい人たちは、元の人の忠実なコピーだろうか。それともそれぞれが個人としての権利を持っているのだろうか。パーフィットはどちらとも言えないと結論している。

君ならどう考える?

・いまより小さかった頃と比べて、いまの自分とどんな違いがあるだろう。変わっていないこともあるだろうか。

・もし自分と同じ個性（アイデンティティ）をもつ自分と出会ったら、どう感じるだろう。

未来の自分

パーフィットはこう考えた。将来自分の体が物として違うものになったとしても、自分の個性（アイデンティティ）は同じままだ。だから、現在どんな行動をとるかということを通じて、未来の自分の世話をする義務があるのだとパーフィットは論じている。例えば、運動は体にいいということはみんな知っている。それなら、元気で活動的な老後を送る最高のチャンスを自分に与えるためにも、いま健康的な生活をすべきだとパーフィットは主張しているわけだ。

時間を旅できるだろうか

SFやテレビ番組、映画に、時間旅行が出てくることがある。場合によっては、登場人物が別の時代を旅して、自分の過去や未来に影響することなく物事を変えたりする。もし君が、自分の時間線で別の時点に旅できるとしたら、物事を変えられるだろうか。そうしたら、過去や未来にも変化が生じるだろうか。

時間はどんなふうに働く？

私たちは、なにかが進んでいく、というふうに時間を経験する。例えば、一切れのケーキを食べていけば、小さなかけらになる。でも、前に進んでいくような時間の流れは、本当にあるのだろうか。それとも、私たちが物事をそんなふうに知覚するだけだろうか。もし時間がいろいろな瞬間のごちゃ混ぜになったらどうだろう。

一切れのケーキが時間とともに進んでいく。

時間の流れがない場合の一切れのケーキ。

過去と未来は存在する？

そもそも旅して訪れられるような過去や未来はあるのだろうか。それとも現在がすべてなのだろうか。過去の出来事はすでに存在していないと考える哲学者もいる。また、未来は存在しないと考える人も多い。でも、過去と未来が存在しないとしたら、現在のすぐそばにとなりあっている過去や未来はどうやって存在しているのだろう。

永遠主義者は、過去も現在も未来も、すべての時間が存在していると考えている。

「成長するブロック〔宇宙〕」理論の支持者は、過去と現在だけが存在すると言う。

現在主義者によれば、現在の瞬間だけが存在する。

過去を変えられるだろうか？

仮に時間旅行をできるとしたら、扱いに困る問題が生じる。もし過去を変えられるなら、自分が生まれてこなかったように変えることもできる。そうなったら、そもそも君は時間を遡って旅することもできないだろう。でも、過去を変えられないとしたら、どうしてだろう。君が物事を変えるのを邪魔するものはなんだろう。

1 タイムマシンがあったら中世の時代に行くこともできる。でも、訪れた先で、過去を変えることはできるだろうか。

2 こんなふうに想像してみよう。君が時間旅行中に悪の騎士と決闘して倒したとする。もし君がその時代に旅をしなかったら、その騎士は長生きしたかもしれない。

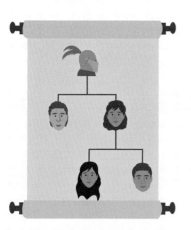

3 その悪の騎士が君のご先祖様の1人だったらどうだろう。君がその騎士を殺したら、君が生まれて、彼を倒しに過去に出かけたりできるだろうか。

時間旅行者はどこにいる？

もし時間旅行ができるとしたら、どうして未来からの時間旅行者がやってきていないのだろう。イギリスの物理学者スティーヴン・ホーキングは、これぞ過去への時間旅行が起きないことのなによりの証拠だと考えた。そこでホーキングは自分の考えを確認するために、時間旅行者を歓迎するパーティを開いた。ただし、パーティが終わるまで、そんな催しがあることを知らせなかった〔もし未来の人がタイムトラベルできるなら、すでに終わってしまったパーティにだって参加できるはずだから〕。でも、誰もやってこなかった。

25

どうして自分は ここにいるの？

「存在」とはなんだろう。どんなものにも、どんな人にも特定の目的があるのだろうか。哲学者たちは何世紀にもわたって、こうした問いについて考えてきた。また、この宇宙の中で人類はどんな位置にあるのかという疑問を抱いてきた。私たち人間の存在にとって肝心なのは、徳のある人生を送ることだと言った哲学者がいる。他方では、自分の人生をどんなふうに生きたいかを選ぶことで、自分の目的を見つけるのだと主張する哲学者もいた。

1 ある人がなにかを作る場合、たいていは頭の中にその物の目的を持っている。例えば、ハサミなら、紙を切るという特定のことをするために作られている。つまり、ハサミの目的は紙を切ることだと言ってよい。

2 植物や動物のような生き物には目的があるだろうか。なにか特定のことをするために生まれてきたのだろうか。例えば、ミツバチの目的は花粉を集めてハチミツを作ることかな。ひょっとしたら、巣の女王バチを守ることとか、巣に溜めてあるハチミツを熊から守ることかもしれない。

思想家：
シモーヌ・ド・ボーヴォワール

シモーヌ・ド・ボーヴォワールは20世紀フランスの哲学者で、実存主義を信条としていた。つまり、誰もが自由意志を持っていて、自分の人生について自分で決める責任がある、という考え方だ。彼女は実存主義の考え方で、家父長制（男性中心）の社会に生きる女性たちに対する不公平で不平等な圧力を批判した。

3 人間は誰もが生まれながらにして、根本となる目的を持っていて、それを果たそうとする、と考える哲学者もいる。古代ギリシアの哲学者アリストテレスは、人間の目的は徳のある生き方をすることだと考えた。人間の目的は、子供を作って種を存続させることだと考える人もいる。

君ならどう考える?

- 自分には生まれながらに持っている目的があると思うかな。

- 望むことならなんでもやっていいとしたら、なにを選ぶだろう。

4 たぶん人はそれぞれ独自の目的を持って生まれてくる。例えば、会社で働くように期待される社会に生まれて、その人には楽しくないとしたらどうだろう。会社勤めが当然だと考えられているからといって、その仕事を続けるべきだろうか。

5 それなら、自分で目的を決められるだろうか。20世紀のフランスの思想家ジャン=ポール・サルトルはこう考えた。人は自分の人生を自由に選んで、自分の目的を見つけられるのだ、と。例えば、会社で働くのはつまらないと感じる人が、本当の目的は消防士になることだ、というふうに自由に選べるのだ。

徹底的な自由

ある女性がパイロットになりたかったとする。しかし、母親として家にいるように期待されて、結局は専業主婦になることを決めたとしたらどうだろう。ボーヴォワールならこう言うだろう。その女性は、社会からの圧力によって迫られた選択ではなく、自分がしたいことに基づいて選ぶべきだ、と。この考え方を「徹底的な自由」という。

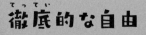

神は 存在するの？

世界中のたいていの宗教の信者は、唯一の神とか複数の神々、あるいは神のような存在を信じている。では、そういうなにかが存在していることを証明できるだろうか。特にヨーロッパでは、キリスト教の神が存在することを証明しようとした哲学者が何人もいた。彼らは何世紀にもわたってたくさんの議論を重ねてきた。

最初の原因

古代ギリシアの哲学者アリストテレスは、動くものはなんであれ、動くように設定されているのだと考えた。宇宙は「不動の動者」によって動きがもたらされるというわけだ。初期のキリスト教の哲学者たちは、その「不動の動者」とは神だと考えた。神は、宇宙とその中で生じるあらゆることの原因なのだ。

最も偉大な存在

11世紀のイギリスの大司教で思想家のアンセルムスは、神が存在することは、それについてじっくり考えれば証明できると考えた。彼の議論は下に示した通りだが、長年にわたって多くの人が問題点を指摘している。

もし神が存在するのなら、
神は私たちが想像できる中で最も大きな存在だろう。

↓

私たちはそのような存在を想像できる。
ということは、少なくとも想像において神は存在している。

↓

想像の中でだけ存在するものより、
実際に存在するもののほうが大きい。

↓

もし神が想像の中にだけ存在するのだとしたら、
私たちは神よりも大きなものを想像できる。

↓

だが、私たちは神よりも大きなものを想像できない。
したがって神は現実に存在しているはずである。

28

世界の設計者

18世紀イギリスの僧ウィリアム・ペイリーはこう言った。時計のような複雑な機械の中を覗いてみると、内部の仕組みがなんらかの設計によって製作され、配置されていることが分かる、と。ペイリーは、人間の眼がそうであるように、自然の中にある多くのものが、同じように複雑だと主張した。つまり、世界は設計によってつくられたものであり、その設計者は神である、というわけだ。

善の起源

人間が生まれながらにして良心を持っているという事実から、神の存在を証明できると指摘する思想家もいる。「良心」とは、正しいことと間違っていることについての直観的な感覚のこと。人間がこうした良心をもっているのはなぜか。それは神に由来しているはずである。これが最もよい説明だ、というわけである。

パスカルの賭け

17世紀フランスの思想家ブレーズ・パスカルはこう考えた。人びとがなにより関心を寄せているのは、神の存在証明ではなく、神を信じることだ、と。パスカルは言う。もし神や死後の世界が存在しないとしたら、信じようが信じまいが、悪いことはなにも起きないはずだ。だが、もし神が存在するなら、信じれば永遠に報われるし、信じなければ永遠に罰せられるだろう。この議論は「パスカルの賭け」として知られている。でも、神が自分を信じない人を罰さないとしたらどうだろう。あるいは、特定の宗教の信者だけを報いるとしたらどうだろう。

	神は 存在する	神は 存在しない
神を信じる	永遠の幸福	なし
神を信じない	永遠の苦痛	なし

証明する義務

宗教を信仰する人が信者ではない人に向かって、「神が存在しないことを証明せよ」と問うことがある。20世紀イギリスの哲学者バートランド・ラッセルはこう論じている。「神が存在することについて、学問の観点から誤っているとは証明できない」と主張する人がいるとしよう。この場合、主張の正しさを証明すべきなのはその人たちだ。ラッセルのこの議論は、「神は存在しない」と直に述べているわけではない。その代わり、証明する義務は、信者の側にあると指摘している。

1 ラッセルは、自分の議論を説明するために、有名な思考実験を提案している。こんな人がいると想像してみよう。その人は、太陽の軌道の、地球と火星のあいだのどこかに陶磁器のティーポットが浮かんでいると信じている。このティーポットは、地球で一番高性能の望遠鏡でも見えないほど小さい。

2 この信者は、他の人にティーポットについて話す。相手はそんなティーポットがあるなんて信じておらず、信者が無意味なことを話していると思う。信者は、相手の反応に気を悪くするかもしれない。でも、相手の人たちが、信者の間違いを証明できないからといって、彼の言い分に同意するとは期待できない。この場合、疑っている人たちは、そういうティーポットは存在していないという証拠を出す必要はないのだ。

3 ラッセルはこんなふうに想像を続ける。ある社会には、そのティーポットについて書かれた古代文書があって、子供たちは小さな頃からそういうティーポットがあると教えられて育つ。その社会では、ティーポットを疑うのはあまり普通ではない。ただし、この場合も疑う人たちは、そんなティーポットは存在していないということを証明する必要はない。

神の本性

神とはなんだろう。仮に神のようなものが存在するとしても、人間の経験からはほど遠いし、知りようもない。こう考える思想家も多い。17世紀オランダの哲学者バルーフ・スピノザは、神を遠く離れた謎の存在とは考えなかった。スピノザにしてみれば、神とはこの宇宙に存在する岩や木から動物や人間までを含む万物の一部なのだ。

人間の想像の産物

19世紀ドイツの哲学者ルートヴィヒ・フォイエルバッハは、人間が神の想像の中で創られたものだというキリスト教の信仰を否定した。彼の考えでは、人間こそが想像の中で神を創り、その際、私たち人間の最良の性質を、その想像の存在に投影したのだ。フォイエルバッハは、私たちの理想を神にあてはめるのではなく、そうした性質を私たち自身の中で育むべきだと指摘している。

なぜ苦しみは存在するのだろう

どうしてよい人たちに悪いことが起きるのだろう。どうして悪が存在するのだろう。東洋には、苦しみは人生につきものだと考える宗教がある。仏教の哲学はこう教える。この世界に大きな苦しみが存在していることに気づくのは、悟りへ向かう第一歩である、と。四つの崇高な真理〔四諦〕を学べば、仏教徒は悟りを開き、苦しみのない生を送ることができる。

苦しみの真理

第一の崇高な真理は「苦諦〔ドゥッカ〕」だ。これは苦しみが普遍的なものであるという知のこと。この世界に生きる人はみんな苦しむ可能性がある。といっても、人が苦しみを感じるために大きな痛みを経験する必要はない。自分の人生に不満をもち、どんなことも骨の折れるようなもがきだと感じるだろう。

苦しみの原因

第二の崇高な真理は「集諦〔サムダヤ〕」で、人間の苦しみの原因は、自分を幸せにしてくれそうな持ち物やその他のものを熱望することにあるという教えだ。こうした欲望を満たしたいという気持ちが、貪欲や無知や憎しみといった悪をもたらす。

悪の問題

キリスト教のように慈悲に満ちた（あらゆる善に満ちた）全能（あらゆる能力）の神を信じる宗教では、苦しみをどのように説明するだろう。自然災害や病気はなぜ起きるのか。これは哲学では「悪の問題」と呼ばれている。キリスト教の思想家の中には、神は全能ではないが、この世界に悪をもたらす悪魔との戦いを続けているのだと論じる人もいる。

現実の世界では

仏教

仏教は紀元前6世紀頃のインドで始まった。言い伝えによれば、仏教は王子ガウタマ・シッダールタ〔釈迦〕が見出した。シッダールタは、快適な暮らしを捨てて教えを説く者、仏陀として放浪した。

八正道

第四の崇高な真理は「道諦〔マッガ〕」で、これは「八正道」とも呼ばれるもの。悟り、あるいは「涅槃」に向かう段階のことだ。悟りとは、人を死と再生の輪廻から解放する認識のこと。八正道は、よく八本の輪（スポーク）がついた輪で表される。この八正道の原理に従えば、仏教徒は自分の内なる平穏を見つけるために努められる。

苦しみの解決

第三の崇高な真理は「滅諦〔ニローダ〕」といって、私たちの熱望を終わらせるものだ。自分の欲望から離れれば、つまり欲望を諦めれば、苦しみの繰り返しから抜け出せる。

正見：仏教の信仰を学んで理解する。

正定：常に心と体について自覚するようにする。

正思惟：仏教の道に専念して、世俗の欲望を捨てる。

正念：気を散らさず、心を瞑想に向ける。

正語：正直に、思いやりをもって話す。口論や嘘や噂話を避ける。

正精進：他人を疑ったり、欲望や悪意を向ける気持ちに抵抗しようと努力する。

正命：きっかり必要以上のものを持たない。

正業：争いを生むような行いや他人に害を与えるような行いを一切しない。

悪と自由意志

キリスト教の哲学者の中には、神は私たちに自由意志を与えたので、人は誰でも悪になりうると論じる人がいる。悪がなければ、善くあることも選べない。4世紀の哲学者ヒッポのアウグスティヌスはこう述べている。神は、善が欠けているというだけの悪を創らなかった。人は、自分の行為によって悪を生み出すものだ。だから神は悪の存在に責任がない。

「知識」ってなんだろう

私たちは何を知っているか。私たちはどうやって知識を得るか。こうした考えは、生活のいろんな場面で重要だ。例えば、法廷で証拠が示された場合、「なにかを真実であると信じていること」と「なにかを真実であると知っていること」の違いはとても重要だ。私たちがどんなふうにものを学ぶかについて検討すれば、学校でどんなふうに教わるかを決める役に立つ。また、「未来は過去に似ている」と仮定する知識の理論によって、科学者たちは、以前起きた出来事の観察に基づいて世界がどんなふうに動くかを説明できるのだ。

信じているのか、
知っているのか

私たちはよく「家に帰ったらテーブルに晩ご飯があるのを知ってる」と言ったりする。君が「学校から帰ったら、ご飯が用意されている」と言う場合も、そんなふうに考えるだけの十分な理由（正当性）があるのだろう。でも、それはそう信じているだけだ。実際には家のドアを開けて、そこにご飯があるのを見るまでは、本当にご飯が用意されているかどうかは知りようがない。なにかを信じたり、信じていることを正当化するためには、その理由を事実や真実で裏付ける必要がある。それが知識というものだ。いや、そうかな。

1 なにかについて「それは実際に正しい」という正当化された信念をもつことができる。ただし、実際にはそれについて「知らない」ということがある。例えば、こんな場面を想像してみよう。農場の人が一日の終わりにヒツジを数えてみたら、一頭いなくなっていた。

2 ヒツジを探しに牧草地へ行ってみると、遠くに見慣れた白い形が見える。彼女は「やっぱりヒツジは牧草地にいたんだ」とほっとする。

3 ところが彼女がヒツジだと思ったものは、柵にひっかかった白い袋だった。〔ヒツジはこの牧草地にいるはずという〕彼女の信念は正当化されるし、正しいように思える。でも、そもそも間違った情報に基づいていた。

4 ヒツジは実際にこの牧草地にいる。ただし、大きな木の後ろに隠れている。この場合、「ヒツジは牧草地にいる」という彼女の信念はたまたま正しい。でも、彼女が考えたような理由で正しいわけではなかった。では、ヒツジがこの牧草地にいたことを、彼女は本当に知っていたのだろうか。

知識とはなんだろう？

古代ギリシアの哲学者プラトンはこう言っている。なにかを知識とみなすには、それは正しくなければならない。そして、それを信じるだけの十分な理由（正当性）が必要だ。つまり正当化された正しい信念（右の図を参照）だ。この理論は2000年以上も受け入れられてきた。ところが、20世紀になってアメリカの思想家エドマンド・ゲティアが、上に示したような特定の状況では、知識は、正しい信念を正当化するだけでは足りないと指摘した。プラトンの規則から外れた事例は「ゲティアの例」と呼ばれている。

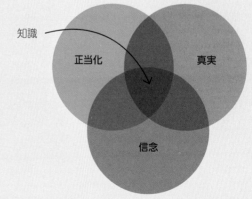

知識

正当化　　真実

信念

プラトンによる知識の定義

私が確実に知っていることはなに？

誰かから言われた言葉を疑ったことはあるかな。例えば、誰かに「人間って木と同じくらい高くなるんだよ」とか「ブタだって飛べるんだよ」と言われたらどうだろう。「無理だよ」と答えるかもしれない。哲学者の中には、人はなにも確実に知ることができないと考える人がいる。じゃあ、知識を得たかったら、どこから出発すればいいだろう。

あらゆることを問う

古代ギリシアの哲学者ソクラテスは、知識を得ることはできると考えた。ただし、なにかを知るには、なにも知らないという立場から出発する必要がある。人びとの考えや仮定を問えば、彼らの知識に飛躍や間違いが見つけられる。下の例をご覧あれ。現在では、彼のやり方は「ソクラテスの方法」と呼ばれている。

「よい生徒」ってどんな意味ですか？

よい生徒はよく勉強します。

でも、全然勉強しなくても成績がいい生徒もいますよね。

ええ、その通りですね。

じゃあその子たちは悪い生徒ですか？

いいえ、そんなことはありません。

ということは、よい生徒は必ずしもよく勉強するわけではないってことですね？

なにも知ることは
できない

古代ギリシアに「懐疑論者」と呼ばれる哲学者たちがいた。彼らは「なにも確実に知ることはできない」と主張した。なぜなら、そもそも私たちの感覚でさえ騙されるのだから、というわけだ。例えば、砂漠で迷子になった人が、小さな湖を見つけたと思った。でも、そこまで行ってみたら、湖に見えたのは蜃気楼だったと分かる。光線が曲がって生じた光の錯覚だ。自分の感覚を信用できないとしたら、どうしてなにかを知ってるだなんて言えるだろうか。

蜃気楼が、女の子の感覚を騙して、水たまりのように見えている。

感覚が当てにならないことがあるとしたら、感覚を信じられるだろうか。

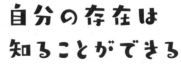

デカルトは「われ思う、ゆえにわれあり」といって、疑う能力こそが、自分が存在している証拠だと結論した。

自分の存在は
知ることができる

なんでも全部疑えるだろうか。例えば、自分の存在も疑えるかな。17世紀の思想家ルネ・デカルトによれば、そんなことはない。自分の存在まで疑えるとしたら、その場合、自分は存在しているはずだ。だってさもなければ、その疑いは誰がやっていることになるだろう。

いま夢の中じゃないと、どうして分かる？

身の回りにあるものが自分の想像の中だけにあるんじゃないかと思ったことはあるかな。
例えば、ある朝、とても現実っぽい夢から目覚めたとする。君はきっと混乱するだろう。
なぜなら、夢がとってもリアルだったからだ。でも、夢を見ているとき、
自分は夢の中にいると言えないのだとしたら、いま夢の中
にいるわけじゃないってどうやって分かるのだろう。道
教の哲学者、荘子は、チョウになった夢を見て、まさ
にそんなふうに考えた。

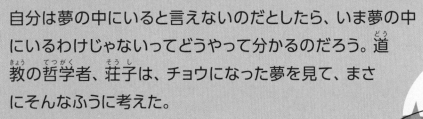

夢の中で荘子は、自分が
チョウだと思っている。

夢を見ている間、
荘子はそれが夢だ
とは気づかない。

1 ある日、荘子はよく働いた後、とても疲
れて家に帰ってきた。寝台に横たわり、
ぐっすりと眠りに落ちた。そしてすぐに夢を
見始めた。自分がチョウになって、美しい庭
を飛び回っている。

2 荘子は目覚めてから、分からなくなった。自分ははたしてチョウになった夢を見た人間なのか、人間になった夢を見たチョウなのか。

君ならどう考える？

- 本当に起きたことだと思ったら夢だった、という経験はあるかな。

- 夢を見ているとき、現実じゃないと気がつくことはあるだろうか。例えば、鳥みたいに飛んでいるとか。

荘子

荘子は4世紀後半の中国の人で、道教という哲学の重要な思想家だ。彼は、その名前のついた道教の本『荘子』の一部もしくは大部分を書いたと考えられている。その本には、ここで紹介したような短くて面白い話が載っている。

道教

道教の哲学は、人生の困難を受け入れて、何事にも楽しみを見つけよと教える。「道」とは、宇宙をかたちづくる力のことで、あらゆるものはその宇宙の中で統合され、調和している。その調和した様子を表すのが「陰」と「陽」だ。

陰と陽のシンボル

陰は、闇、老年、弱さを表す。

陽は、光、若さ、強さを表す。

41

水槽に浮かぶ
ただの脳なのか

自分の感覚を信じられるのはなぜだろう。その感覚が騙されているとしたらどうだろう。騙されている可能性があるとしたら、自分の周りの世界が本当にそこにあるのをどうやって知ることができるだろう。もしかしたら、君は水槽に浮かんでいる脳で、目や耳にしているものが本物だと思い込むように、情報を与えられているのかもしれない。

2 今度はこう考えてみよう。実際には、自分は浜辺にはいなくて、水槽に浮かぶただの脳で、ワイヤーと電気ですごいコンピュータにつながれている。

1 20世紀アメリカの哲学者ヒラリー・パットナムは、こんな状況を思考実験している。いま自分は浜辺でお日様を浴びているところだと想像してみよう。

3 そのコンピュータは、浜辺にいる感覚になるように君の脳を刺激している。この感覚は本物と見分けがつかない。パットナムは言う。自分は水槽に浮かぶ脳じゃないという確信が持てないのだとしたら、外の世界についての信念も正しいかどうか確信を持てないじゃないか、と。

思想家：ルネ・デカルト

17世紀フランスの哲学者ルネ・デカルトは、知識全体にしっかりした土台を与えたいと考えた。そこで彼は、自分の感覚も含めて、あらゆることを疑うところから出発した。そして確実に知っていることがなにかあるかを確かめ始めた。

邪悪な霊

デカルトは、パットナムの「水槽に浮かぶ脳」の元になった思考実験をしている。デカルトは、自分の感覚を支配している邪悪な霊がいて、自分の周りの世界が現実だと信じ込ませているのではないか、と考えてみた。デカルトの結論はこうだ。この状況で唯一確かなものは自分の存在だけだ。

イスってなんだろう？

イスと言われたら、なにが思い浮かぶだろう。たぶん、なにかしら座るものだろう。背や四本の脚がついてるかもしれない。じゃあ他の種類のイスはどうかな。事務所のイス、ロッキングチェア、ひじ掛けイスとか。そんなにいろんな種類があるとしたら、なにかがイスだとどうやって分かるだろう。

事務所のイス　　　　　ロッキングチェア

四本脚のイス

イスが イスじゃなくなる 場合

イスの一部を取り除いたら、それでもイスだろうか？

イスから部品を取り除いていくと、これ以上とったらイスじゃなくなる、という状態になる。こうすれば「イスってなんだろう」という答えに近づけそう。このやり方で、どんなイスにも共通していることを特定できるだろうか。

背を取り除いてもイスだろうか。

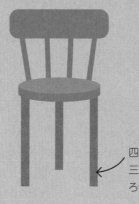

座面を取り除いたらイスじゃなくなる？

四本脚じゃなくて、三本脚でもイスだろうか。

座るからといって イスと呼ばれる わけじゃない？

人は他にもいろんなものに座る。例えば、ベンチとか座布団とか踏み台とか。これらの人が座るものは「イス」と言わないのだろうか。こういう「イスではない」例は、私たちが理解しているイスに近づく役に立つだろうか。

あるものを見て、イスってどんなものかをどうやって分かるのだろう。なにでできている？　どんなふうに組み立てられている？　哲学者たちは、こういう単純な物について質問したりする。なぜかというと、人が自分では知ってるつもりのことについて、どんな前提があるかを目立つようにするためだ。

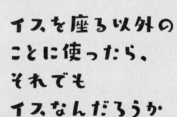

イスを座る以外の ことに使ったら、 それでも イスなんだろうか

物に関わる目的は、定義の一部だろうか。そうではないだろうか。イスは座るためのものだとする。このとき、誰かがイスを他の目的で使ったら、イスじゃなくなるのだろうか。例えば、誰かがイスの上に乗って飾り付けをしたらどうだろう。

他の星から来た宇宙人は、 イスが分かるだろうか

いままでイスを見たことがない人がいたら、その人にはイスの定義や目的が分かるだろうか。宇宙人が住んでいる他の惑星のイスは、地球のイスと全然ちがっていたらどうだろう。その宇宙人たちは、地球のイスのかたちを見て混乱するだろうか。

人はどうやって学ぶのだろう?

知識はどこから来るのか。この問いについては、古代から哲学者たちの間でも意見が分かれている。「合理主義者」といわれる思想家は、人は生まれながらに知識がある、つまり物事を知っている状態で生まれてくる、と言う。あるいは、頭を使って物事を解決できるというわけだ。他方で「経験主義者」といわれる思想家は、人は何事も経験を通じて学ぶのだと主張している。

学ぶことは思い出すこと

古代ギリシアの合理主義者ソクラテスは、あるとき少年に幾何学の問題について話した。その少年は数学についてはなにも知らなかった。でも、ソクラテスが砂の上に図形を描くのを見て、少年は答えを見つけることができた。そこでソクラテスはこう言った。少年は、よく考えることで、すでに知っていたことを「思い出した」のだ、と。

原型となる馬の「かたち」。

少年は謎を解決するための知識を持って生まれてきている。

プラトンの「かたち」の理論

古代ギリシアの哲学者プラトンは、「かたち」の世界があると主張した。つまり、この世界に存在するあらゆるものについて、完璧な「かたち」の世界があるという。人は、そうした「かたち」について生まれながら知っているので、馬を見るたびに馬だと分かる。なぜなら、馬の原型となっている「かたち」について知っているからだ。

現実世界の馬から、私たちは完全な馬の「かたち」を思い出す。

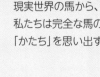

何事も経験が教えてくれる

プラトンの弟子のアリストテレスは、師とは違う意見を持っていた。彼は、人は何事であれ、経験から学ぶのだと主張した。アリストテレスは、身の回りに見えるものについて、共通の特徴に基づいて分類することで理解しようとした。例えば、トリはみな、くちばしや羽根や鉤爪を持っている。そこで、これらの特徴からトリを認識できるというわけだ。

トリ

- ✓ くちばし
- ✓ 羽根
- ✓ 鉤爪

思想家：
プラトン

紀元前4世紀の哲学者プラトンは、偉大な思想家ソクラテスの弟子だった。プラトンの作品の多くは、ソクラテスと他の哲学者の会話（対話ともいう）を記録したものだ。実際の会話もあれば想像の会話もある。そのせいで、書かれていることのうち、どれがプラトンの考えで、どれが師の考えかを見分けるのは難しい。知識の理論については、ソクラテスもプラトンも合理主義者だった。

大論争

プラトンとアリストテレスは、知識がどこから来るかについて意見が食い違っていた。ここから、ヨーロッパでは、合理主義者と経験主義者のあいだで大論争となり、議論は何世紀も続いた。歴史上でも最高に優れた思想家たちが、どちらかの意見を支持するために自分の主張を展開したくらいだ。結局のところ、18世紀ドイツの思想家イマヌエル・カントが、双方の要素を組み合わせた知識の理論をつくりあげた。

デカルトを疑う

17世紀フランスの合理主義者、ルネ・デカルトは、私たちの感覚がときには間違った印象をもたらすので、〔感覚に基づく〕経験は信じられないことに気づいた。自分が存在しているという事実のように私たちが確実に知ることができるのは、推論によって知ることができるのだ。

水が入ったコップに鉛筆を入れると曲がって見える。感覚はいつでも正しいわけではないのだ。

白紙のようなもの

17世紀イギリスの経験主義者、ジョン・ロックは、生まれたばかりの人の心は、なにも書かれていない白紙のようなものだと考えた。人はこの世界でいろいろな経験をしながら、心に知識を書き込まれてゆくわけである。そして生きているあいだずっと、この過程は続く。

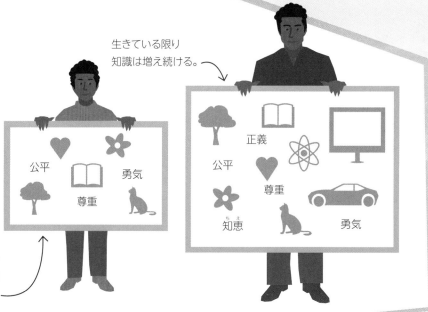

生きている限り知識は増え続ける。

公平　勇気　尊重

正義　公平　尊重　知恵　勇気

心が成長するにつれて、たくさんの知識が書き込まれる。

ヒュームのパイナップル

18世紀スコットランドの経験主義者デイヴィッド・ヒュームによれば、「パイナップルを食べてみなければ、どんな味がするか正しい考えは持てない」。パイナップルを食べるという経験をするとはじめてどんな味かを知ることができる。

経験と直観

イマヌエル・カントは、私たちは自分の体で経験した分だけしか世界を知ることができないと言った。体から抜け出して自分が経験していることと、実際の世界が一致しているかどうかを確認したりはできない。ただし、カントはこうも考えた。人は生まれたときから「直観」という知識を持っている。「直観」は経験を理解するのに役立つ。例えば「空間」と「時間」についての直観のおかげで、モノのことや、時間の流れによってそれらがどうなるかを理解できる。

心の中に「空間」と「時間」の直観がある。このおかげで、自分の経験を理解できる。

モノが世界の中で実際どんなふうにあるかを知ることはできない。

私たちは世界について、自分の経験したことだけを知ることができる。

正しさには二種類ある

17世紀ドイツの哲学者ゴットフリート・ライプニッツは、正しさには二種類あると言っている。一つは「理性の正しさ」で、もう一つは「事実の正しさ」だ。理性の正しさのほうは、考えてみるだけで正しいと分かる。例えば、2+2＝4という計算の正しさは、理性の正しさだ。事実の正しさは、考えるだけでは確認できない。現実と照らし合わせて確認する必要がある。

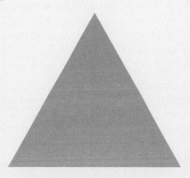

「三角形には三つの辺がある」は、理性の正しさ

「ギザの大ピラミッドはエジプトにある」は、事実の正しさ

経験から なにが分かる？

本を読んだり、学校で学んだりして、どんなことでも学べると思うかもしれない。例えば、飛行機がどうやって飛んでいるかとか。でも、はじめて見たり経験したりする場合、その事実について本で読んだ以上のことを学べるだろうか。現代のオーストラリアの哲学者フランク・ジャクソンは「学べる」と考えた。その考えを説明するために「マリーの部屋」という思考実験を提案した。

マリーは白黒の世界にいる。

光波についての情報から、マリーは色の働きを理解する。

1 マリーはずっと白黒の部屋で暮らしている。彼女は科学者で、人が色を見る仕組みを研究している。人の脳で光がどんなふうに処理されて、いろんな色を知覚するかを知っている。ただし、マリー自身は色を見たことがない。

2 ある日のこと、マリーはとうとう部屋を出て、はじめて色を目にした。このとき彼女はなにか新しいことを学ぶだろうか。ジャクソンは「その通り」と言う。マリーは色の物理的な性質については知っていたものの、それに関して具体的に意識したことはなかった。例えば、色をどう感じるかとか。ということは、経験がなくてはなにごとも学べないわけである。

彼女の仲間たちが色について日頃経験から学んでいるようなことを、マリーは新たに学ぶ。

1 19世紀アメリカのプラグマティズムの哲学者ウイリアム・ジェームズはこんな問いかけをしている。森で迷っているとき、道に出くわしたらどうか。そのまま迷子でいるかどうかは、目の前の道についてなにを信じるかによる。

この道に沿っていくと、さらに森の奥に入り込んでしまうか、それとも安全な場所に出るか。どう信じる?

信念が正しい必要はあるだろうか

信じていること〔信念〕が正しいと証明できるかどうかは大事だろうか。それとも、信じていることが役に立つほうが重要だろうか。例えば、次のような二つの可能性を考えてみよう。1. ダイヤモンドはいつでも硬い。2. ダイヤモンドは触らない限り柔らかい。どちらの考えが正しいとしても、実際に違いはない。プラグマティズム〔実用主義〕の哲学者はこんなふうに言っている。なにかが「正しい〔真〕」必要があるのは、生活の中でそのことを実際に応用してみる場合だけだ、と。

2 その道が森の外へ通じているのを知らないか、そんなふうに信じない場合、その道を辿（たど）らず、森の中で迷い続けることになる。いまいる場所に留まるという行動によって、〔道は森の外に通じていないと〕信じていることが正しくなる。

3 逆に、その道を辿（たど）れば森を出て安全な場所に行けると信じる場合、そう考えて道に沿っていくという行動を起こす。その結果、森から出られたとすれば、〔道は森の外に通じていると〕信じていることが正しくなる。

君ならどう考える？

- 自分が正しいと信じていたことについて、考えを変えたことはある？

- 自分が信じていることに従って行動した結果、それが正しくなったことはある？

- 信じることと事実はなにが違（ちが）うのだろう。

行動につながる信念

信じることが役立つこともある。私たちがよいことをするよう励（はげ）ますからだ。神を信じることが、思いやりのある行動につながるかもしれない。例えば、ホームレスの人に毛布をあげるというように。

教育

20世紀アメリカの哲学（てつがく）者ジョン・デューイは、哲学は日常生活で実践（じっせん）的な解決を見つける役に立つべきだと考えた。彼（かれ）は、特に教育を刷新することに関心を持っていた。生徒が自分から参加できれば、もっと学びやすくなると考えた。例えば、化学の理論を学ぶだけでなく、生徒自身が科学実験に参加する機会があるべきだ、というふうに。

科学はいつも正しいだろうか

人類が知る限りでは、太陽は毎日昇ってくる。科学はこの先も同じように昇るだろうという。でも、明日も必ず太陽が昇ってくると本当に言えるだろうか。科学は「帰納法」という考え方に基づいている。これまで起きた過去の出来事から未来を予測するのに使われる。自然はいつも同じように動くと仮定しているわけだ。

1 18世紀スコットランドの思想家デイヴィッド・ヒュームはこう言った。科学は間違った前提に基づいている。太陽が明日も昇ってくると信じる理由はない。

思想家：
フランシス・ベーコン

16世紀のイギリスの哲学者で政治家のフランシス・ベーコンは、科学の仮説をテストする新しい方法を提案した。それは、実験の結果を分析する際、帰納法を使うというやり方だ。現代の科学が採用している方法は、このベーコンのやり方をもとにしている。

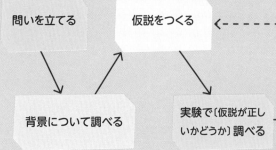

問いを立てる → 背景について調べる → 仮説をつくる → 実験で〔仮説が正しいかどうか〕調べる

2 ヒュームはさらにこう言った。私たちは、自然法則がこの先も変わらないと証明したわけではない。これまでもそうだったから、これからも同じようになるだろう、と仮定しているだけだ。太陽が明日昇ってこない可能性だってある。

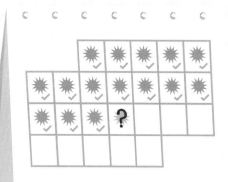

3 帰納法（きのうほう）は、日常生活でも大切な道具だ。ある物事がこれまでずっとそうだったように、これからも続いていくという考え方のこと。ただし、帰納法の正しさは、次のような循環論法（じゅんかん）に支えられている。未来も過去と同じようにふるまうだろう。なぜならこれまでずっとそうだったから、というふうに。言い換（か）えると、帰納法を証明するために帰納法を使っているのだ。

未来は過去と
同じようにふるまう

どうしてこの先も
そうなると考えるのか

なぜなら
これまでも
そうだったから

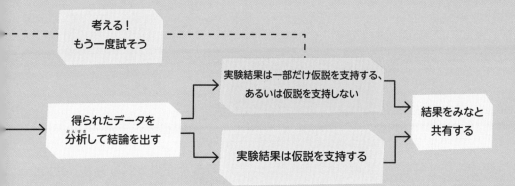

考える！
もう一度試そう

実験結果は一部だけ仮説を支持する、
あるいは仮説を支持しない

得られたデータを
分析（ぶんせき）して結論を出す

実験結果は仮説を支持する

結果をみなと
共有する

科学の方法

科学は仮説の検証に基づいている。仮説というのは、科学者が自分の理論の出発点として使う前提のこと。仮説を、実験と観察で検証するわけだ。検証の結果が仮説を支持するなら、科学者は自分の理論を他の人たちに公開する。

間違いから科学は進む

帰納法の問題は、百年以上も科学者たちを悩ませてきた。20世紀オーストリア出身でイギリスの哲学者カール・ポパーが、科学についてそれまでとは別のやり方を示すまで。ポパーはこう言った。科学は理論の正しさを証明するよりも、理論の間違いを証明することに関わっているのだ、と。

1 科学の理論は「仮説」と呼ばれる仮定から出発する。例えば「白鳥はみんな白い」という仮説があるとしよう。この仮説は、科学の検証と観察の出発点となる。

2 「白鳥はみんな白い」という仮説は、科学者が観察したり、報告を受けたりした白鳥がみんな白い場合には有効だ。

黒い白鳥

オーストラリアで黒い白鳥が見つかって、17世紀のヨーロッパの人たちは驚いた。白以外の白鳥を見たことがなく、白鳥はみんな白いと思っていたからだ。

3 白くない白鳥が観察されたら、「白鳥はみんな白い」という仮説は正しくないことが証明される（反証される）。そこで、その新たな観察を説明する新たな仮説が必要となる。

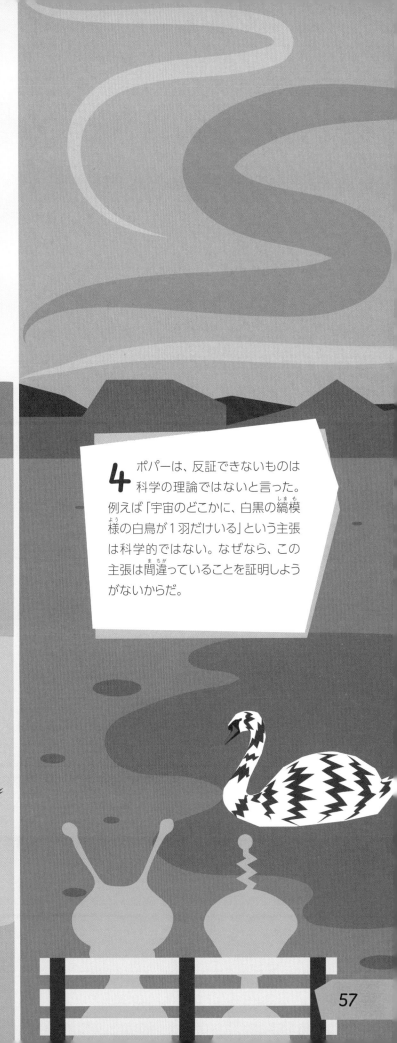

4 ポパーは、反証できないものは科学の理論ではないと言った。例えば「宇宙のどこかに、白黒の縞模様の白鳥が1羽だけいる」という主張は科学的ではない。なぜなら、この主張は間違っていることを証明しようがないからだ。

「正しい」とか「間違っている」ってなんだろう

なにをするのが正しいかを判断するのが難しい場合もある。でも、幸いなことに哲学が手助けしてくれる。こういうことを考える分野を「道徳哲学」とか「倫理学」という。自分はどんな人になりたいかを決めたり、どうやって幸せに暮らすかを考えたりする役に立つ。こういう決定は「人は自分がすることを本当に自由に選んでいるのか」とか、「自由には限度があるべきか」といった問いと深く関係している。これらの問いに答えようとするいろいろな試みは、たくさんの法律や習慣の基礎になっている。

行動そのものは
よかったり悪かったりするのか

ある行動が正しいか間違っているかを、その行動の理由を考えないで、行動そのものだけで見分けられるだろうか。つまり、特定の行動を「よい」か「悪い」のどちらかだと決められるだろうか。例えば、寄付をするのはどんな場合でもよい行動だろうか。誰かからお金を盗むのはどんな場合でも悪い行動だろうか。

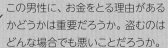

この男性に、お金をとる理由があるかどうかは重要だろうか。盗むのはどんな場合でも悪いことだろうか。

正しいか、間違っているか、どうやって見分けられる?

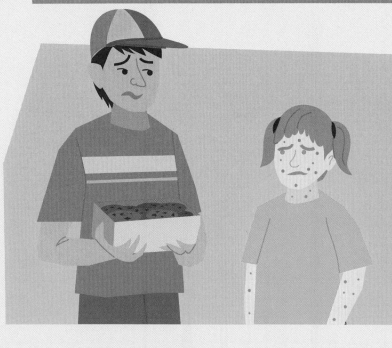

自分の意図は
重要だろうか

君がよい意図でやったことが、悪い結果をもたらしたら、君は悪いだろうか。例えば、君は友だちに気前よくビスケットをあげることにした。でも、その友達が、ビスケットの材料にアレルギーをもっていることを知らなかった。この場合、君がしたことは悪いことだろうか。

言われたことをするのは正しいことだろうか

ある人が責任者だからといって従うのは正しいだろうか。上司が従業員に間違ったことをさせたらどうだろう。例えば、その上司がやった犯罪の証拠になる書類をシュレッダーにかけるように命じられるとか。上司からやるように言われたことが間違っていると考えた従業員が、上司に異議を唱えるのは間違ったことだろうか。

どうしたら正しく行動したりふるまったりできるかを知るのは必ずしも簡単ではない。自分では正しいことをしていると思っても、それが最悪の結果を招くことだってある。そうだとしたら、どうしたら正しいか、間違っているかを見分けられるだろう。

みんながやっているとしたらどうだろう

「みんながやっているんだから、その行動は許されるに違いない」と感じることがある。それなら、周りにいる人がみんな崖から飛び降りている場面を想像してみよう。その場にいたら、君も飛び降りるかな。

文化の違い

ある文化では正しいと思われていることも、他の文化では間違っていると思われていることがある。例えば、アメリカやヨーロッパでは、牛を食べるのは普通だ。でも、インドのヒンドゥ教を信じる人にとって、牛は神聖な生き物で、とても大切にされている。肉を食べるために牛を殺すのは、ヒンドゥ教の人には許容できない行いだ。

インドの各地で、牛は神聖な動物として保護されている。

嘘をつくのは正しいことか

「嘘をつくのはいつでも悪いことだ」と考えたことはあるかな。ひょっとしたら同意してくれないかもしれないけれど、誰かを不愉快な気分にさせないためとか、トラブルを避けるためとか、そういった場合に嘘をつく必要もある、そんなふうに考えてみることができる。でも、よい理由があれば、嘘をついてもいいのだろうか。みんなが常に嘘をつくようになったらどうだろう。親とか友だちが君に嘘をついていることに気がついたら残念に思うだろうか。

1 こんな場面を想像してみよう。友だちが誕生日にプレゼントをくれた。でも、そのプレゼントは、すでにもらったものと同じものだった。そのことを正直に言うだろうか。それとも友だちの気持ちを思って「悪意のない」嘘をつくだろうか。

2 嘘はさらなる嘘を呼ぶことが多い。例えば、すでに同じプレゼントをもらったことを知っている別の友だちがいるとしよう。その子にも話を合わせて嘘をついてもらって、先にもらったプレゼントを隠すようにお願いするだろうか。その場合、君がついた嘘を守るために、他のたくさんの人たちを巻き込むかもしれない。

別の友だちに、君のついた嘘に合わせてもらった。

3 もしはじめから友だちに本当のことを話していたら、君がすでに持っているのと同じプレゼントをあげたのだと分かってその友だちは気を悪くするかもしれない。でも、嘘の連鎖に巻き込まれなくて済む。哲学者のイマヌエル・カントはこう言っている。私たちはいつも本当のことを話さなければならない。さもなければ、なにもかもがめちゃくちゃになってしまう。

友だちが気を悪くするかもしれないけれど、本当のことを伝えようと決めた。

思想家：
イマヌエル・カント

イマヌエル・カントは17世紀ドイツの思想家だ。ある行動が正しいか間違っているかをなにが決めるのかについて、カントが考えたことは、いまでも影響力がある。カントはこう言っている。誰もが従うべき原則がある。この原則に従う人もいれば、従わない人もいる、ということでは、その原則は意味のないものになってしまう。

原則に忠実

カントによれば、仮によい理由があったとしても、人は原則から外れた行動をしてはならない。例えば、刑務所の看守が、ある受刑者について本当は無実だと思っている。その人を刑務所から出してあげたい。でも、だからといってその受刑者を釈放したら、他の看守も同じように別の囚人を釈放するかもしれない。そうなったら秩序は失われて、法律も無意味になってしまう。

善良であることは、宗教の一部だろうか

たいていの宗教は、悪いことをすべきではないと説いている。盗みはその一例だ。その代わり、よい行いをすべきだという。恵まれない人にお金をあげるとか。自分が死んだとき、神様は、その人が生きていたときにしたことを罰したり褒めたりする。そう信じる人もたくさんいる。

ぜんりょう
善良で
あるべき？

もし自分が透明人間だったら、善良でいられるだろうか

古代ギリシアの哲学者プラトンはこう考えた。人は、罰せられると分かっているので悪いことをしないだけだ。では、もしも自分が透明人間になれるとしたらどうだろう。銀行からお金を盗んでも誰も気づかない。もしそんな機会があったら、やってみたいだろうか。そんなことをしたら捕まってしまうから、悪いことをしないでいるのだろうか。

それで、「よい」とはなんだろう

なにかがよいことになったり、悪いことになったりするのは、なにによるのだろう。例えば、この女の子はネコと遊んでいて、宿題をやっていない。でも、ネコの世話が彼女に任されているとしたらどうだろう。18世紀スコットランドの思想家デイヴィッド・ヒュームはこう言っている。なにかがよいか悪いかを言うことはできない。なぜなら、それは人それぞれの意見や感じ方によるものだから。

人は善良であるべきで、悪いことをするのは間違っている。よくそんなふうに言われる。でも、どうして善良でなければならないのだろう。よいことをするとなにが得られるだろう。悪いことのほうが楽しいときもあるし、欲しいものが手に入ることもある。そうだとしたら、悪いことをするのを妨げるのはなんだろう。

君ならどう考える？

- よい行いをどう定義するだろう。その定義は、親や学校の先生の定義と同じだろうか。

- 君がなにかよいことをしたとき、誰も気づかなかったら、どう思う？

- 誰も気づかなければ、悪いことをしてもよいと思う？

君が正しいことをしたのを誰も気づかないとしたら、それには価値があるだろうか

報われるからよいことをするのだろうか。それとも、よいことをすること自体が報いだろうか。古代ギリシアの哲学者アリストテレスはこう言っている。人は、正しい理由から正しいことをする美徳をもっている。といっても、正しい理由ってなんだろう。迷子のイヌを飼い主に返すのは報酬が欲しいから？それとも、そうするのが正しいからだろうか。

謝礼
10万円

目的は手段を正当化するだろうか

こんな場面を想像してみよう。君は友だちと会う約束を破った。こういう場合、「それは悪いことをしたね」と言われたりする。でも、病気で入院しているおばあちゃんをお見舞いするために約束を破ったのだとしたらどうだろう。そうだとしたら、友だちに会えないのは「よい」ことになるだろうか。正しいことと間違っていることを見分けるには、実際になにをするかではなく、行動の結果を判断するというやり方がある。つまり、目的（行動の結果）は手段（どのように取り組むか）を正当化すると考えられる。

必要ならどんな手段でも

思想家のマキアヴェッリはこう考えた。責任者は、よい結果を得るためなら、どんな手段でも使うべきだ。例えばこんな場面があるとしよう。スポーツチームの監督が、ファンに愛されている選手をやむを得ず首にした。チームの動きをよくするためだ。次の試合で、このチームは試合に勝った。マキアヴェッリなら、その選手を首にしたのは正しいことだったというだろう。

最大の幸せ

18世紀イギリスの思想家ジェレミー・ベンサムは、行動の意図ではなく、結果に注目した。彼は、なにが正しいのかを判断するには、最大多数の人びとに最大の幸せをもたらすものを測定すればよいと考えた。この考え方は「功利の原理」と呼ばれている。

危害の原理

19世紀イギリスの思想家ジョン・スチュアート・ミルは、「功利の原理」によって自由を制限される人が出てくると見ていた。そこで彼は「危害の原理」を提案した。人が自分にとって最大の幸せを達成するために好きなことをできるのは、他の人に害を与えない限りにおいてである、という考え方だ。

男性が隣人に食事を届けると、1人の人が助かる。

炊き出しのボランティアをすると、多くの人が助かる。

男の子は読書に集中できない。お姉さんが遊んでいるゲームがうるさいからだ。

お姉さんがヘッドフォンを使えば、2人とも自分の好きなことを楽しめる。

思想家：
ニッコロ・マキアヴェッリ

16世紀イタリアの政治思想家ニッコロ・マキアヴェッリは『君主論』という本を書いた。その本で彼は、目的は手段を正当化する、と述べている。権力を持っている人が、暴力や詐欺のような道徳に外れた行いをする場合でも、その結果、みんなにとってよりよい社会になるなら、そうした行いは許されるべきだと論じている。

するかしないか

もし私たちが、自分の行動の結果に基づいて正しいことと間違っていることを区別するのだとしたら、なにをしても間違っていると感じるような状況を考えてみることができる。20世紀イギリスの哲学者フィリッパ・フットは「トロッコ問題」といって、暴走するトロッコ（電車）についての思考実験を考えた。最もよい結果を求めると、普通は間違っていると思われている行動をとることになってしまう、という状況だ。

君ならどう考える?

- 自分がレバーのそばにいる男性の立場だと想像してみよう。線路にいる1人の作業員が犯罪者だったら、判断に影響するだろうか。

- その作業員が、友だちや知人だったらどうだろう。君の判断に影響はあるだろうか。

1 フットの思考実験を、ここではこんなふうに設定しよう。暴走する電車が向かう先の線路では、5人の人が保守作業をしている。作業員たちは、電車が近づいていることに気がついていない。誰かが介入しないと、彼らは死ぬことになる。

2 ここに男の人がいる。彼のそばには、電車の進路を別の線路に切り替えるレバーがある。これを使えば5人の作業員を助けられる。ただし、もう一つの線路には1人の作業員がいて、〔5人の代わりに〕その人が死ぬことになってしまう。では、この男性はどうすべきだろうか。

このレバーで電車の進路を変えることができる。

3 功利主義の哲学者ならこう言うだろう。私たちは、最大多数の最大幸福を生み出すべきだ。この場合なら、男性はレバーを操作すべきだ。なぜなら、そうすれば死ぬ人が少なくなるからだ。

さらに進んで

暴走電車が走る線路の上に橋がかかっている。先ほどの男性の隣には女性がいるとしよう。もし男性が、彼女を橋から突き落とせば、電車は作業員たちにぶつかる前に止まるだろう。こんなふうに誰かを突き落として死なせるのは、レバーを引く場合となにが違うだろう。

この人の命は、他の5人の命より価値がないだろうか。

橋から突き落とされたら、この人は死んでしまう。

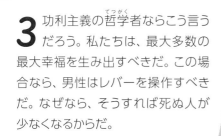

4 功利主義の哲学では、5人の作業員を救えば最善の結果が得られる。でも、人を殺すのが間違っているとすれば、なぜこの場合は、人の死につながることをしても「正しい」ことなのだろう。必ずしも行動の結果に目を向ければよいわけではない、ということが分かる。

幸せとはなんだろう

プレゼントをもらうとか、友だちと過ごすとか、ちょっとしたことで幸せになる。でも、そうした出来事がもたらす幸せは、すぐどこかへ消えてしまう。幸せが長く続くための秘訣（ひけつ）はなんだろう。古代ギリシア人によれば、よい人生を送ることにかかっているという。とはいえ、「よい人生」とはなにかとか、どうしたらそうなるかについて、いろいろな考えがあった。

なにも要らない

ソクラテスはこう言った。人は誰もが幸せになることを望むものだ。幸せについては、教えることができるし努力もできる。彼（かれ）はこう考えた。本当に幸せになるには、ものを集めることに注意を向けるのではなく、賢明（けんめい）に行動する方法を学ぶ必要がある、と。彼の弟子のプラトンが書いた物語によれば、ある日ソクラテスは市場を歩いているとき、「ここにあるものを見てごらん。どれも私には必要のないものだ」と言ったという。

自制心

プラトンは、よい行動をする人だけが幸せになれると考えた。彼は自制心（かれ）と過剰（かじょう）なことをしない（してき）重要性を指摘している。

質素な生活

キュニコス派〔犬儒派（けんじゅ）〕と呼ばれた人びとがいる。彼（かれ）らは、贅沢（ぜいたく）や富、社会の習慣を捨て去ることで幸せになれると考えた。キュニコス派の有名な人物にディオゲネスがいる。彼はこれを極端（きょくたん）に推し進めて、アテネの市場に置いた陶器（とうき）の壺（つぼ）で暮らした。

ディオゲネスは、イヌはなにも持たず、好きなようにして幸せだと考えた。

快楽

快楽主義者は、快楽〔心地よいことや楽しいこと〕のある人生を信じていた。だが、有名な快楽主義者のエピクロスはこう言っている。私たちは、自分の行動を慎重に選ぶ必要がある（慎重な判断）。彼は幸せを「苦しみがない状態」と定義している。

エピクロスはパンと水を食べて暮らしていた。彼は食べすぎをよいことだと思っていなかった。

君ならどう考える？

- どんなとき、幸せを感じるだろう。おいしいご飯、友だちと過ごす時間、プレゼントをもらったとき？　幸せになるには、こういう経験をずっと続ける必要があるだろうか。

- 持ってるけど、必要のないものについて考えてみよう。それがなかったら、あまり幸せではないだろうか。

- 幸せは、物や経験から生じるのか、それとも自分のどこか深いところにあるものによるのだろうか。

受け入れる

ストア派の人びとはこう考えた。人生にはいつもなにかしらの苦しみがあるものだ。私たちはその事実を受け入れて、恐れや欲求不満といった感情を手放す必要がある。そうすれば、自然と調和した、豊かで充実した人生を送ることができる。

ディオゲネスと
アレキサンダー大王の伝説

あるとき、アレキサンダー大王が、ディオゲネスの噂を耳にして、道端にいる彼のもとを訪れた。そして「なにか助けはいるかね」と尋ねた。ディオゲネスはこう答えたと言われている。「ええ、それならちょっと脇にどいてください。なにせ太陽の光をさえぎられてるんでね」この逸話は、ディオゲネスが生活必需品（太陽の光）について述べただけでなく、権力や権威を拒否したことを示している。

71

なにごとも バランスが大事

古代ギリシアの哲学者アリストテレスはこう考えた。幸せとは、自分にできる最高の状態にあることだ。アリストテレスの「よいこと（善）」についての考えでは、幸せな人生の基礎は「徳」にある。徳というのは例えば、勇気、やさしさ、我慢強さ、心の広さといった道徳にかんする性質のことだ。アリストテレスは、こうした性質が多すぎても少なすぎてもよくないと考えていた。

1 どんな徳にも、「少なすぎ（不足）」と「多すぎ（過剰）」という両極端がある。例えば心の広さを例にしてみよう。運よく宝くじに当たった人がいるとする。この人は、自分が手にした財産をどうするか決めようとしているところ。

10,000,000円

2 この宝くじに当たった人は、けちで心が狭く、友だちにはほんのちょっとしかあげないかもしれない。アリストテレスの考えに照らせば、けちであることは、心が広いとは言えないし、けちだと幸せになれない。

思想家：アリストテレス

紀元前4世紀ギリシアの哲学者、アリストテレスはプラトンの下で学んだ。ただし、先生のプラトンとはかなり違った考えを持っていた。アリストテレスは200以上の本を書いている。その1冊に『ニコマコス倫理学』がある。この本では、よい人生を送るにはどうしたらよいかを示そうとしている。アリストテレスによれば、よい人生とはどのようなものかを知るだけでは足りない。そのように生きること、そしてよい人間になることが重要なのだ。

たくさんのお金を
無駄遣いする。

3 宝くじに当たった人は、よく考えずたくさんのお金を人にあげるかもしれない。アリストテレスなら、過剰な心の広さだと考えるだろう。彼の考えでは、過剰に生きるのもよい人生の送り方ではない。

4 本当に心の広い人であるためには、つまり自分にできる最大のことをするには、不足と過剰の中間点を見つける必要がある。とはいえ、完璧なバランスとはどんな状態なのか、誰に分かるだろうか。そもそも場合によって状況はみんな違っているから、そのつど個別に判断しなければならない。

君ならどう考える?

- もう一つ、「我慢強さ」という徳について考えてみよう。君はせっかちに行動したことがあるかな。それとも、我慢強さがありすぎて、誰かにつけこまれたことはあるだろうか。

- もし当てはまるとしたら、もっとよくバランスをとるには、どうしたらよかっただろう。

- バランスというものは、人によって違うだろうか。

黄金の中庸〔中間点〕

アリストテレスによれば、徳のある行動とは、二つの極端な状態のあいだにあるバランスを見つけることだ。彼はこの分かれ目となる点を「黄金の中庸」と呼んだ。例えば、勇気ある行動をしたい場合、「無茶をする」(勇気がありすぎる状態)と「臆病な行動」(勇気のない状態)の中間点を見つける必要がある。それぞれの徳について、こうしたバランスがどこにあるかを学ばなければならない、というわけだ。

| 無茶 | 勇気 | 臆病 |

不幸な人間か 幸せなブタか

「知らぬが仏」という言葉を聞いたことがあるかな。不快な状況にいるとしても、当人が気づかなければ幸せでいられる、という意味だ。でも、本当にそうだろうか。幸せとは、いろんな楽しいことがあって心配がない状態だ。この考え方を快楽主義といって、古代ギリシアの頃からあった。快楽主義は、完璧な人生をもたらしてくれるように思える。でも、これよりもっと幸せなことはないのだろうか。

1 19世紀イギリスの哲学者ジョン・スチュアート・ミルはこう言っている。きりのない快楽は、人間を他の動物と変わらないものにしてしまう。どちらもトラブルのない生活を楽しめる。とはいえ、人は考える能力を持っている。哲学者が「理性の力」と呼ぶものだ。ミルに言わせれば、これこそが人の人生を動物の暮らしと比べて意味あるものにしてくれるのだ。

この女性は幸せな気分でお風呂に入っている。外で起きている災害は無視することにして。

市場へ

ブタは幸せだ。もうすぐ食べ物として売られてしまうことを知らないから。

2 君は、勉強する代わりに友だちと外で楽しい時間を過ごすほうが好きかもしれない。目標を達成するためにたくさん頭を使ったら、どんな報いがあるだろう。つまり、友だちとの楽しい外出を犠牲にして、将来のもっと大きな幸せを目指して勉強することには価値があるだろうか。

この男の子は一生懸命勉強するのは大変だと感じて、あまり幸せではない。

3 試験に合格して、将来の夢だった仕事につながったとしよう。この結果、もっと幸せになるかもしれない。ミルは、幸せの量よりも質のほうが優れていると考えた。報われる結果に向かって努力する人は、一時的に不幸せかもしれないが、「知らぬが仏」のブタよりもいつだってよいのだ。

男の子の努力は報われて、以前より幸せになった。

君ならどう考える?

- 世界中で起きている問題をすっかり全部無視したら、自分は本当に幸せだと思うだろうか。

- 好きなことはなんだろう。例えば、ご飯を食べることのように体に関する楽しみだろうか。それとも、なにかしら頭を使うようなことも含まれているだろうか。

- 幸せにはいろいろな程度の違いがあるだろうか。

- よく努力してなにかがうまくいったとき、大きなやりがいを感じるだろうか。

低級な快楽と高級な快楽

ジョン・スチュアート・ミルは、快楽にはいくつかの種類があると考えた。彼は二つに分けている。高級なものと低級なものだ。高級な快楽とは、頭を使う行動のこと。例えば、テレビを見るより本を読むほうが頭を使う。この場合、読書は「高級」な快楽で、テレビを見るのは「低級」な快楽というわけだ。ミルは、高級な快楽のほうが優れていると主張した。なぜなら、高級な快楽では、多くを求められるものの、報われることも多いからだ。

テレビを見るのは、読書と比べて求められることが少ない。

読書では「頭を使う」代わりにいっそう報われる可能性がある。

すてきな経験マシン

自分の経験にどんな価値があるかを、どのくらい幸せになったかで判断するのは正しいだろうか。20世紀アメリカの哲学者、ロバート・ノージックは、そう考えなかった。彼は「すてきな経験マシン」という思考実験を考えた。そんなすてきな経験だけできる人工的な生活があったとしても、人びとは、いくらか嫌な経験がつきものの現実の生活を選ぶだろう、ということを示そうとした思考実験だ。

かわいい動物を引き取る経験を選べる。

かっこいい車を買いたいかもしれない。

1 脳に刺激を与えて、よい経験だけを与えてくれるマシンに接続したらどうだろう。好みに応じてどんな状況でも選べる。ただし、いったんこのマシンに接続したら、その経験が現実のものではないことに気づかないだろう。君なら、現実の人生より、ヴァーチャル〔本物のようなつくりもの〕の人生を選ぶだろうか。

家族と一緒に過ごす経験を楽しむかもしれない。

競走に勝つ経験を選べる。

2 現実の人生で競走に勝つのは、マシンの中の人生で勝つよりも気分がいいだろうか。マシンの中での競走のように、単に「勝った」という経験だけでなく、現実の競走では走らなければならないわけだ。ノージックはこう論じた。人は実際にあることをしたいのだ。だから現実の人生の代わりに「すてきな経験マシン」を選ぶことはない、と。

現実の世界

ヴァーチャルリアリティ

いまではヴァーチャルリアリティの装置を使えば、ゲームで遊んで、現実の人生では見たこともないような場所に行ったりできる。こういう装置が提供する経験は楽しい。でも、人生でずっとこの装置に接続しっぱなしになりたいかな。

君ならどう考える?

- これまでやり遂げたことで、気分がよかったことはなんだろう。

- やり遂げるまでの道のりは、楽しいものだっただろうか。

- やり遂げたことがヴァーチャルな世界でのことだとしても、君はなにかを成し遂げたんだと感じるだろうか。

私は自由だろうか

なにかを選ぶとき、本当に自由に好きなものを選んでいるのだろうか。それとも、その選択はなにか外からの力によるのだろうか。もし私たちが、好きなことを自由にしていないのだとしたら、自分の行動に責任を持てないということにならないだろうか。哲学者の中には、人はいつだって自由に選べると考える人もいれば、選択の自由は錯覚だと考える人もいる。

私は自由だ

私たちには自由意志があると考える哲学者がいる。つまり、私たちは自分で望むように行動を選べるという意味だ。20世紀フランスの思想家、ジャン=ポール・サルトルはこう言っている。自分の置かれた状況は問題ではない。自分をとりまく環境に対してどう応答するかは、いつだって自由に選べるのだ、と。

好きなことをできる

自分はトリオの音楽家の1人で、練習に行くとしよう。トリオの他のメンバーは、君も来ると思っている。でも、君に自由意志があるなら、いつだって練習に参加しない自由がある。

自分の行動に責任がある

サルトルはこう言っている。君には自由意志があるのだから、自分の行動に責任がある。仲間の音楽家から、「練習に来なかったのだからグループを去れ」と言われたら、君はこの結果に責任を負わねばならない。なぜなら、君は別の選択をすることもできたからだ。

法律と自由

世界中のたいていの法律体系は、人間には自由意志があり、自分の行動に責任がある、という哲学に基づいている。つまり、人はその結果を引き受けて、罰金を支払ったり、刑務所に収監される可能性がある。

私は自由ではない

思想家の中には、私たちには自由はなく、あらゆることは予め決まっているか、私たちのために選ばれていると考える人もいる。こういう哲学者たちは「決定論者」と呼ばれている。17世紀オランダのバルーフ・スピノザは決定論者だった。彼は、自由意志は錯覚で、私たちの選択はすべて予め決められているのだと論じた。

選択の余地はない

学校に行くために起きなければならなかったのに、寝て過ごしたとしよう。君に自由意志がないとすれば、決定論の哲学者たちはこう言うだろう。この出来事は、どう見ても君にどうにかなるものではなかったのだ。君には選択肢はなかった。なぜなら、君が学校をサボるのは予め決まっていたからだ。

自分の行動に責任はある？

学校をサボったら、罰として居残りになるかもしれない。といっても、もしあらゆることが予め決められていて、学校をサボったのが君の選択ではないとしたら、君は自分の行動の結果に対処しなければならないのだろうか。スピノザのような哲学者によれば、君には自由意志はないのだから、君の行動に責任もない、ということになる。

79

私は幸せな囚人か

たいていの場合、私たちは自分で物事を自由に選んでいるように感じている。例えば、友だちを選ぶとか、ご飯のときに野菜を食べないとか。でも、なにかの理由によって、反対のことを選べないとしたらどうだろう。他の選択をできる場合にだけ、人は自由なのだと考える哲学者もいる。

1 ある朝のこと、今日はずっと部屋にいようと決めた。食べ物もテレビもトイレも、必要なものはみんな揃っているから、部屋から出なくて大丈夫。

2 実はドアが故障して開かないのだけれど、君は気づいていない。部屋の外に出ようと思っても出られないのだ。これでもまだ「ずっと部屋にいよう」という選択は、本当の選択と言えるだろうか。

君ならどう考える?

- やってはいけないと言われていることはあるかな。それについて適切な理由はあるだろうか。誰が、何がそうしてはいけないと禁じているのだろう。

- なにかを自分で選べたら、それで本当に自由なのだろうか。

- できたらいいなと思うのにできないことはなんだろう。魚みたいに泳ぎたい?過去に時間旅行をしてみたい?

思想家：ジョン・ロック

17世紀イギリスの哲学者ジョン・ロックは政治家でもあった。彼は個人の自由と政府の役割の関係に関心を持っていた。ロックは、社会は人びとの「自然な権利〔自然権〕」を守るべきだと考えた。自然な権利とは、生活、自由、財産（持ち物）のことだ。

自発的な選択

ロックは、自発的な行動と、体でなにか自由にすることを区別した。例えば、羽根が生えて空を飛べたらいいなと思うかもしれない。でも、自然の法則を変えることはできない! たとえ人間に自由意志があるからといって、いつでも自由があるわけではないのだ、とロックは結論している。

言いたいことは なんでも言っていいか

君が好きなことを考えるのを誰も止められない。では、自分の考えを声に出して言いたい場合はどうだろう。心に浮かんだことはなんでも口にしてよいだろうか。たとえ他の誰かを傷つけることでも口にしてよいだろうか。多くの国では、言論の自由を保護する法律がある。ヘイトスピーチなど、特定の言論を犯罪とする法律を設けているところもある。

言論の自由は いつでも許されるべきだろうか

攻撃的なことでも、暴力や犯罪につながることでも、言いたいことをなんでも口にするのが許されるとしたらどうだろう。例えばこんな場面を想像してみよう。誰かが、他の人たちに向かって「看板をめちゃくちゃにしようぜ」と持ちかけておいて、当人は参加しなかった。この犯罪は、その人の発言がきっかけとなったのだから、実行した人たちと一緒に罰せられるべきだろうか。

この人は「看板をめちゃくちゃにしようぜ」と人びとに向かって公然と述べた。

言論の自由を 禁ずるべきだろうか

人びとが罪を犯さないように、ある種の言論を禁じるべきだろうか。そうだとしたら、どこに線を引けばよいだろう。人によって、傷つくことはさまざまだ。もしあらゆる攻撃的な発言が禁じられたら、誰かから「イヌが嫌いだ」と攻撃された場合、イヌの飼い主はその人を逮捕させるかもしれない。それって公平だろうか。

君には、誰かが意見を表明するのを止める権利はあるべきだろうか。

誰かを攻撃した場合、どの段階で犯罪とみなされるだろう。

イヌを捨てろ！

検閲してもよいか

仮に誰かの発言を禁じ始めると、そのまま検閲につながりうる。例えば、子供に暴力シーンを含む映画を禁じるように、権力を持った人が不適切だと思う本や映画やその他のメディアに人びとが接するのを妨げることを「検閲」という。なにを検閲すべきかを、誰が決めるのだろう。行きすぎにならないだろうか。例えば、政治のリーダーが、彼らの考えに反対する新聞やウェブサイトを禁止できるとしたらどうだろう。

政府がオンラインのコンテンツを検閲するのを許すべきだろうか。

思想家：ジョン・スチュアート・ミル

19世紀イギリスの哲学者、ジョン・スチュアート・ミルはこう考えた。人びとは、他人の幸せを邪魔しない範囲で、自分の幸せを自由に追求すべきだ、と。彼は、女性の投票権を強く支持し、奴隷制に反対し、言論の自由の権利を擁護した人でもあった。

言論の自由

ミルは、社会が発展していくためにも言論の自由は必要だと考えた。多くの国で、人びとは自分が関心を持っている主張や同意できない主張のために、抗議活動や行進を行ったりして、言論の自由の権利を行使している。

君ならどう考える？

- 誰もが同意できないことについて発言できるようにすべきだと思う？

- 自分では強く信じていることを誰かに向けて話した結果、その人が攻撃されていると感じるような経験はあるかな。二度とそのことを口にしてはいけないと禁じられたら、どう感じるだろう。

「平等」ってなんだろう

世界中の人びとはみんな、集団や社会で暮らしている。哲学者は古代からずっと、社会をつくる一番よいやり方について議論してきた。例えば、法律は人びとの権利を護れるかとか、人びとを公平・平等に扱うにはどうしたらよいか、など。平等についての理論は、他の人を傷つけずに行動するように導いてくれるし、人びとの権利が奪われている点を明らかにする役に立つ。最近では、哲学者たちは、平等の権利をどのように動物にも拡張できるかとか、環境全体の中で人間が占める位置について検討している。

他の人を
どう扱うべきか

他の誰かが「自分と違う」というだけで、その人を自分とは違う扱い方をしてもよいだろうか。20世紀フランスの思想家シモーヌ・ド・ボーヴォワールはこう言った。私たちは自分が何者かを考える場合、「自分は何者ではないか」と考えることが多い。ボーヴォワールはこれを「他者」と呼んでいる。多くの社会で、「他者」とみなされる人びとは、人種差別、性差別、障がい者差別などの差別に直面している。

1 エイリアン〔異星人〕の集団が地球にやってきて、人類は彼らと地球を共有しなければならないとしたらどうか。エイリアンは、人類とはかなり違っているものの、エイリアン同士も互いに違っている。人類が自分たちを「エイリアンではないもの」と定義して、エイリアンたちを「他者」と見なすとしたらどうだろう。このとき、エイリアンはどのように扱われるだろうか。

このエイリアンは、人間ではないからといって給料の高い仕事に就けなかった。

2 人類が支配的な集団になって、エイリアンの待遇を左右している。似た者同士がたくさん集まると、他の集団より大きな力を持つようになることがある。力を持った集団は、「他者」とみなす人びとに機会を与えずにおくこともできる。

3 自分たちの文化を捨てて人間の社会に溶け込もうとするエイリアンに、人類は機会を与えるかもしれない。支配的な集団は、他の集団に対して、支配的な集団の習慣を受け入れるように勧めたり、強制したりして、その特徴や違いを消そうとすることがある。

このエイリアンは人間の服飾文化を受け入れた。そうすれば、もっとよい機会が与えられるからだ。

4 人類が、エイリアンの持っている特徴を受け入れたり、尊重したりしたらどうだろう。20世紀フランスの哲学者エマニュエル・レヴィナスはこう言っている。他の人たちが自分たちとは違っているからという理由でその人たちを「他者化」するのではなく、そのような違いを認め、賞讃すべきだ、と。なぜならそれによって、私たち全員がユニークなものになるからだ。

現実の世界では

南アフリカのアパルトヘイト

20世紀に、南アフリカの白人政府は「アパルトヘイト」を導入した。これは白人以外の南アフリカ人に押し付けられたもので、白人市民と接しないように暮らすよう強制する仕組みだ。公共の場にアフリカーンス語で「Net blankes」と書かれることがあった。これは「白人専用」という意味だ。

この野球の試合では、人類とエイリアンが、それぞれの能力に応じた一番いいポジションでプレイしている。

君ならどう考える?

- 自分はどんな人なのかとか、どんな人ではないのかを確認するために、自分と他の人を比べてみたことはあるかな。
- 自分とは違う人たちを君はどんなふうに扱うだろう。
- 「他者化」の例を見たり体験したことはあるだろうか。

みんなを同じように扱うべきか

世界には何十億もの人びとがいる。それぞれの人が必要とすることがある。では、そんな中でどうしたら全員を平等に扱えるだろうか。実際のところ、平等とはどういう意味だろう。誰もが同じ道具を与えられれば物事は平等になる、と言う人もいる。でも、それで公平だろうか。人が物事をうまくこなして同じ目標を達成するために、人がそれぞれ違う道具を必要とする場合にはどうだろう。

1 「平等」とは、誰もが同じ道具を使えるということだろうか。例えば、平等な世界では、スーパーマーケットで棚の上にある商品を手にとるために、みんなが同じ大きさの踏み台を与えられればよいだろうか。でも、それだと子供や車椅子の人は手が届かない。

この男性は棚の上に手が届くくらい背が高い。この人に踏み台は要らない。

踏み台があっても、この子供は棚の上に手が届かない。

車椅子の人には踏み台は役に立たない。

2 それぞれの人が必要とする道具を誰もが与えられるとしたらどうか。例えば、子供には背の高い踏み台、車椅子の人には傾斜のある台があれば、みんなが棚の上の商品に手が届く。必要なものが違う人びとに、それぞれに合った道具をあげることを「平等」という。言い換えると、みんなが同じ機会を持てるということだ。

3 では、棚がもっと低かったらどうか。この場合、踏み台や傾斜のある台は要らず、補助がなくてもみんなが棚の上の商品を手にとれる。高さという邪魔が取り払われたわけだ。こうすることで不平等の原因がなくなって、誰もが同じ扱いになる。

思想家：
メアリー・ウルストンクラフト

記録に残る歴史のほとんどの時代において、女性は男性より劣っていると見られてきた。18世紀イギリスの作家で哲学者のメアリー・ウルストンクラフトは、そうしたものの見方に挑んだ。彼女は、男女の平等な権利を進めようとした女性の1人だ。

女性の参政権

ウルストンクラフトは、女性の権利を強く支持した。彼女は、女性が投票権を持つべきだと主張した最初の人の1人でもあった。彼女の考えは、19世紀の女性参政権運動のきっかけとなった。

強いリーダーは必要か

17世紀イギリスの思想家トマス・ホッブズは、人間は生まれつき利己的で暴力的なものだと考えた。だから法律がなければ、そしてその法律を支持する強いリーダーがいなければ、人は他の人の幸せについて考えずに自分のやりたいことをするだろう。ホッブズは、そのままでは混沌と無秩序が生じると見ていた。

私たちはリーダーを選ぶべきか

17世紀イギリスの哲学者ジョン・ロックによれば、誰が自分たちを統治し、法律を作ったり守ったりする力を持つかを決めるのは、人びと次第であるべきだ。現在では多くの国々で、そのことを民主的な選挙によって決定している。

民主主義では、人びとは自分たちを導き、法律を作る権力を持つ人を投票で選ぶ。

誰が権力を持つべきか

君は、ルールも仕組みも関係のない世界で、まったく自由に生きるのを選ぶだろうか。それともリーダーが統治する社会で暮らしたいだろうか。社会では、例えば安全や安心のような利点と引き換えに自由を一部断念している。社会を率いるリーダーは法律を作り、私たちはそれに従うことに同意する。というのも、人びとを危害から守ったり、一定水準の生活を確保するためだ。でも、そうした法律を作る権力を誰が持つことにするかを、どうやって決めたらよいだろう。

私たちは自分を管理すべきか

18世紀フランスの思想家ジャン゠ジャック・ルソーはこんなふうに言っている。人間は生まれながらにして善良であり、文明社会が自由に生きることを妨げている。ルソーによれば、統治者は、人びとのためではなく、自分たちの財産を守るために法律を作る。彼は示唆している。人びとは自分たちで政府を管理すべきだ。そうすれば、自分たちの「一般意志」（共通の利益）に基づいて法律を作ることができる。

18世紀にルソーの考え方は、フランス革命の指導者たちに王政打倒の動機を与えた。

君ならどう考える？

- 特定の行動を強制するルールや法律がなかったら、人びとは平和に共存できるかな。

- 法律と政府によって動く社会で暮らすとなにかよいことはあるだろうか。

- みんなにとってよい形で機能する社会をどのようにつくれるだろうか。

思想家：孔子

孔子は紀元前551年に生まれた中国の哲学者だ。彼は熱心に学び、後には故郷の魯で警察の長となった。彼は中国のあちこちを旅して、自分の考えを広め、社会のあらゆる階層の人びとが、徳と誠実さをもって行動すべきだと説いた。

例に導かれる

統治者は、ただ人びとに命令してなすべきことを教えるのではなく、模範を示すべきだと孔子は言った。例えば、環境保護を気にかけるよき統治者は、臣下と一緒に木を植える手伝いをするかもしれない。

この王は、自ら木を植えて、他の人たちもそうするようにと励ましている。

ものごとを
公平にすべき？

世界には、たくさんのものを持っていて、とても運のよい人もいる。他方には、とても貧しくて、生きていくのに苦労している人もいる。もし世界を変える力を持っていたら、他の人を差し置いて、自分に最高の機会を与えるだろうか。それとも、みんなに公平になるようにするだろうか。自分がなにを得られるか、予め分からなかったらどうだろう。

1 身近なところで想像してみよう。学校のクラスで演劇をすることになって、二つの台本からどちらをやるか君が選ぶことになった。本当は出番の多い大きな役を自分で演じたい。でも先生は、君がどちらかの演劇を選ぶまで、君がどの役を演じるかを教えてくれない。

2 一方の演劇には主役は1人しかいない。君がこの台本を選んだ場合、他のクラスメートが主演を務めることになりそう。その場合、君は端役のコーラスになる。では、主役になれるわずかな可能性に賭けて、小さな役になる危険を冒すだろうか。

一つ目の演劇を選んだ場合、自分は小さな役になりそう。

3 もう一つの演劇では、どの出演者も同じくらいセリフがあって舞台に出る時間も同じくらいだ。こちらの演劇を選べば、君もクラスメートも、みんな小さいけれど平等な役を務めることになる。では、他のみんなとスポットライトを平等に分かち合うのは幸せだろうか。

二つ目の演劇では、みんなが平等に役を演じる。

君ならどう考える？

- 人生で、誰もが平等のチャンスと機会をもつべきだと思うだろうか。

- いま、ものごとは誰にとっても公平だと思うだろうか。ものごとが不公平だった場合のことを考えられるだろうか。

- もしも君に任されるとしたら、みんなにとってものごとを公平にするにはどうしたらよいだろう。

無知のヴェール

上の話は20世紀アメリカの哲学者ジョン・ロールズが考えた「無知のヴェール」という思考実験に基づいている。ロールズはこう論じている。自分で世界を創れるとする。ただし、自分が創ったその世界に入ってみるまでは、自分がどんな社会的地位や能力を持った人になるかは分からない。そうだとしたら、富と機会を平等に分配するような選択をする可能性が高いだろう。

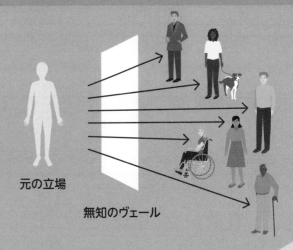

元の立場

無知のヴェール

慈善活動に寄付すべきか

慈善活動に寄付するのはよいアイデアに思える。でも、助けを必要とする人がたくさんいる場合、誰を助けたらよいか、いつ十分な支援をするとよいかを、どうやって決められるだろうか。こうした問題は、慈善の「環の拡大」と呼ばれている。これは現代のオーストラリアの哲学者ピーター・シンガーが、溺れる人の思考実験で論じたものだ。

1 シンガーの思考実験をここではこんなふうに設定しよう。ある女の子が靴屋で新しい運動靴を買った。彼女はこの靴を買おうと思って、長いあいだ貯金してきたので、最新デザインの靴を手に入れたことを誇りに感じている。

男の人が溺れている。周りには助ける人がいない。

2 女の子が家に帰る途中のこと。川で男の人が危険な目に遭っているのを見かける。男性が溺れ死なないように救命浮輪を投げてあげるのは簡単だ。でも、そうするには、買ったばかりの運動靴が汚れてしまうかもしれない。

3 シンガーはこう主張する。たいていの人は、運動靴より人命のほうが大事だと考えて、自分が危険にさらされない限りは、この男性を助ける義務があると考えるだろう、と。

女の子の運動靴は泥でだいなしになった。

4 シンガーは議論をこんなふうに進める。近くにいる誰かを助ける義務があるとするなら、遠くにいる人も助けるべきではないか。たとえ世界の別の地域の人であっても。でも、この慈善の「環の拡大」はどこまで行ったら止まるんだろう。

女の子が近くにいる人を助けるのは簡単。

地球の裏側にいる少年が、同じように助けを必要としている。

現実の世界では

効果的な変化

慈善活動は、多くの場合、ただお金をあげるのではなく、人びとが必要とするものを手にできるようにする。きれいな水が乏しい地域なら、ポンプを取り付けることで、そこに住む人たちを最も効果的に助けられる。

動物を平等に扱うべきか

この何世紀かで、人と動物の関係についての考え方は大きく変わってきた。その変化の中心にあるのは次のような疑問だ。動物は、それぞれが人間の干渉を受けず自由に生きるに値するだろうか。そうだとしたら、動物たちは人間と同じ権利を持つのだろうか。そうではないとしたら、動物にはどんな権利があるのだろうか。

機械じかけの生物

かつて人間は他の動物と違っており、いっそう優れていると考えられていた。17世紀フランスの哲学者ルネ・デカルトは、動物は程度の劣った機械じかけの生き物だと考えた。19世紀には、生物学が発展し、人間も動物の一種に過ぎないことが示されて、態度も変わり始めた。

動物の権利 vs 人間の権利

哲学者の中には、人間に害が及ぶのを避けるために、動物を傷つけることは許されると論じる人もいる。動物にも権利はあるかもしれない。ただし、人間にも健康や安全に生きる権利があるというわけだ。では、人間の権利は、動物の権利と比べてどのくらい重要なのだろうか。

人間用の薬を動物で試験するのはよいか。

すべての動物は平等か

ネコやイヌをはじめ、哺乳類に危害が加えられるのを見ると、多くの人が動揺する。でも、ゴキブリが殺されても気にする人はほとんどいない。哲学者はこんな議論をしている。どちらかというと機械じかけの生物に近い昆虫のような生き物に対して、哺乳類や鳥類やその他の動物には意識がある。といっても、どの動物が苦しむ可能性があるかについては、いまのところ合意されていない。

ネコ好きの人はなにも考えずハエを叩く。

そもそも動物には権利があるのか

哲学者の中には、動物に権利があるとは思わない人もいる。この見方について提示される議論として、権利には義務についての理解が伴うというものがある。例えば、他の人に対してどうふるまうか。トラは〔他の動物を〕殺すのは間違っていることだと理解していない。だからなんの権利もないのだ。

動物は自由であるべきか

私たちは、動物を保護する義務があるだろうか。保護することで動物の自由が損なわれるとしても。野生で自由に暮らすよりも、飼われるペットに与えられる安全のほうがよいものだろうか。動物たちを動物園に飼っておくのは正しいことだろうか。そうしないと絶滅してしまう動物もいるだろう。例えば、飼育されているパンダは、野生で自由だが密猟者に狙われるパンダより安全だ。では、私たちはパンダを安全な状態にすべきだろうか。

なぜ絶滅危惧種を救うのか

ある動物種が絶滅の危機に瀕した場合、私たちはその動物種の生息地を保護し、人間の干渉を減らして救おうとする。そんなことをする一方で、私たちは肉やその他の製品のために、動物を飼育している。どうして私たちは、特定の生命を優先するのだろう。例えば、なぜ私たちは、食べるために飼っている動物よりも、パンダやトラの生命を重要だと思うのだろう。

君ならどう考える?

- 自分にペットがいるとしたら、他の動物より大事に扱うだろうか。
- 化粧品のような製品を動物で試験するのは正しいだろうか。
- 動物の毛皮を着るのはよいだろうか。革靴はどうだろうか。
- 野生で危険な状態にいる動物より、飼育されている動物の生命のほうがよい状態だろうか。

マルミミゾウ

サオラ
〔ベトナムレイヨウ〕

アムールヒョウ

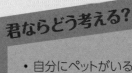
ウシ

ブタ

ヒツジ

肉を食べてもよいだろうか

世界には、いろいろな理由で肉を食べない人もたくさんいる。例えば、自分の健康のためとか、宗教の信仰のためとか。道徳的菜食主義者（モラル・ベジタリアン）の立場では、肉を食べるのは明らかに間違ったことだ。哲学者のピーター・シンガーはこう論じている。動物には苦しむ能力があり、家畜に与えられる苦しみこそが、人びとを菜食主義へ向かわせるのだ、と。

1 シンガーは、意識のある存在に対して、必要のない苦しみを与えるのは間違っていると言う。動物は人間と同じように痛みを経験する。肉やその他の製品のために動物を飼育して屠殺するのは、動物に苦しみを与える。肉を食べる代わりの手段があるのだから、そうした牧畜でつくられる肉を食べるのは間違っている、というわけである。

現実の世界では

放し飼いの牧畜

卵のような動物製品は「放し飼いで育てました」といって売られることがある。その動物が檻で飼育されていないという意味だ。ただし、その動物たちがどのくらい自由なのかはさまざまだ。放し飼いの動物の中にも、檻で飼育される動物と同じように苦しむものもいる。

2 シンガーの議論は菜食主義（ベジタリアニズム）を支持するものだが、同じように完全菜食主義（ヴィーガニズム）も支持する。完全菜食主義とは、卵や牛乳も含めて、動物由来のものを一切食べないという生き方だ。そうした製品のために飼われる動物は苦しむ。例えば、乳牛は痛みのある病気を発症することがある。

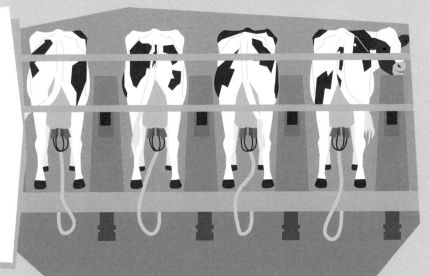

3 シンガーに同意しない哲学者もいる。彼らは、多くの人にとって肉を食べるのは大きな喜びだし、この喜びは、動物に加えられる苦しみを上回るものだと指摘している。他には、誰も肉を食べなくなったら、多くの家畜は存在しなくなるだろうと言う人もいる。でも、最終的に食べられる苦しみが待っている生は、そもそも存在しないことに比べてましだろうか。

4 肉を食べることについて、さらに別の議論がある。環境への影響という視点だ。牧畜は植物の栽培と比べて環境へのダメージが大きい。例えば、動物の排泄とガスは、地球の温暖化の一因になっている。では、もっと害の少ない代替手段があるのに、それでも牧畜をするのは正しいだろうか。

動物を放牧する場所をつくるため、森林が伐採される。

牧畜ではたくさんの水が使われる。

動物は、環境汚染を起こす温室効果ガスのメタンを大量に生み出す。

思想家：ピーター・シンガー

現代オーストラリアの哲学者ピーター・シンガーは、動物の権利のために戦う中心人物だ。彼は、苦しむという点で、動物は人間と同等だと主張している。もし被害を最小限に抑えたいなら、私たちの行動が人間に及ぼす影響だけでなく、動物への影響も考える必要がある。

種差別

シンガーは動物より人間を大切にする態度を「種差別」という言葉で表した。彼はこんなふうに予言している。将来、人間が動物たちと調和して暮らすようになったら、私たちが生きている時代を振り返って、私たちがいま性差別や人種差別について考えるのと同じように、種差別について考えるだろう、と。

どうして環境が問題になるのか

19世紀後半まで、人間は自分たちが自然から離れて存在していると考えていた。彼らは、自分たちは他のどんなものよりも優れており、他のものは人間が資源として使うためだけに存在しているのだと信じていた。現在私たちが直面している環境問題は、こういう人間第一の考え方によってもたらされたと多くの人が考えている。環境は重要だろうか。それはなぜだろう。

人間は優れている

「自然は人間に仕えるために存在している」という考え方は、以前ほど広がっていないものの、いまでもそう信じている人たちがいる。そういう人の多くは、昔の人よりも長期的な視点を持っている。彼らは、今後も人間が存在し続けられるように環境を守りたいと考えているのだ。

「山のように考える」

20世紀アメリカの哲学者アルド・レオポルドは、人は「山のように考える」べきだと言っている。つまり、動物や植物や生息環境はすべて互いに関係しあっていることを十分に意識するべきだ。自分が一つなにかを変えれば、それはエコシステム全体に影響する可能性がある。

ディープエコロジー
〔全面的生態系保護〕

20世紀ノルウェーの哲学者アルネ・ネスなどのディープエコロジスト〔全面的生態系保護主義者〕によれば、環境問題の根本原因は、人間の本性そのものの中にあるという。ディープエコロジーでは、人間が自然と関わるための新たな方法を提案している。

1 すべての人間と人間以外の生命には価値がある。生命体の多様性はその価値の一部だ。人間には、自分たちに不可欠の必要を満たす場合を除いて、この生命体の多様性を減らす権利はない。

2 人間はすでに深刻なぐらい自然に干渉しており、干渉はますます悪化している。こうした干渉が続く限り、人間と人間以外の生命は、繁栄を続けられない。

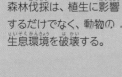

森林伐採は、植生に影響するだけでなく、動物の生息環境を破壊する。

3 各国の政府は環境を破壊する仕組みを止めて別のやり方にしなければならない。富や快適さを増やすのではなく、質のよい生活に焦点を当てるべきだ。

都市はその周囲の環境と調和するように造るべきだ。

「考える」って
なんだろう

考えるということは、心の中で起きていると言われたりする。といっても、心とは何か、脳とは別のものなのかは、必ずしも明らかではない。心についての哲学（てつがく）の問いは、心理学や神経科学、それに人工知能のような発展中の分野でも重要だ。哲学は、私たちがものごとをよりよく考えられるようにして、よい議論をしたり、悪い議論に気づいたりする役に立つ。

心は魂?

心という概念はかなり現代になってからのものだ。古代ギリシアの哲学者プラトンは、「気息」とか「魂」と呼ばれるものが、私たちの体を動かしていると考えた。彼は、魂は不滅で不死のものだと信じていた。プラトンの考えは多くの宗教で基礎となっている。

心ってなに?

人間として、私たちは考え、感じ、計算し、希望や不安を抱き、感覚によって世界を経験し、感覚したことを記憶に留める。こうしたことは心で生じるという。でも、心って本当のところなんなのだろう。

私の心は私の脳?

多くの哲学者たちは、心の説明を脳に求めてきた。彼らは、心は体と別物としてものを考えるのではなく、心は脳と関係しており、また、心は体がなければ存在しない物理的なものだと考えている。

心は私たちがなにかをすること？

心を「物」として考えるのはたぶん間違いだ。そうではなくて、心とは私たちが「する」なにかだ。20世紀の「行動主義者」という哲学者の集団は、あらゆる心の活動は行動で説明できると考えた。つまり彼らは、心というものはそれ自体で存在するのではなく、人が行う行動の集合だと考えたのだった。

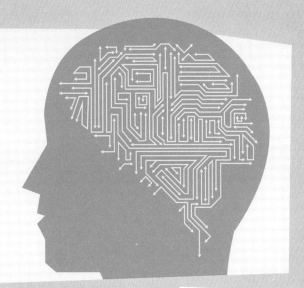

心は川のようなもの？

心の中はいつも変わっていく。例えば、注意は感覚から記憶のほうへと移り、また感覚に戻ってきたりする。心とは、考えが浮かんだり消えたりするような精神活動の過程、流れる「川」のようなものと考えられる。

そもそも心は存在してる？

現代の思想家の中には、私たちが心の中で生じていると考えていることは、そもそも本当には存在していないと言う人たちもいる。私たちの思考とか発想は、脳内で生じる化学的な相互作用の結果に過ぎないのだ。

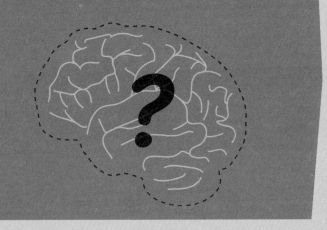

現実の世界では

神経科学

脳の科学的な研究を、神経科学という。神経科学では、私たちがなにかしら経験する際、脳がどのように働いているかを説明する。ただし、そうした経験をするとどんな感じがするかについては調べられないかもしれない。

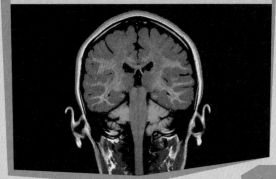

心はどこにあるの？

私たちの思考や感情や記憶はどこにあるのだろう。脳を使って考えたり感じたりしているわけだけれど、少なくとも車とかこの本のような物体とは違って、思考は脳の中に物体みたいなかたちであるわけじゃない。でも、心の中のものが物理的な世界の一部じゃないとしたら、心はどこにあるのだろう。

浮いている人間

11世紀イスラムの哲学者イブン・スィーナーは、人間の心（彼の言い方では「魂」）は、体とは切り離されていると考えた。ある思考実験で、彼は何もない空中に浮かんでいる人を想像した。この状態だと、外界や自分の体について、感覚から情報が得られない。イブン・スィーナーはこう言っている。この人は、たとえ「私」を肉体に結びつけられないとしても、なおも自分のことを「私」と考えるだろう。

心から体へ

もし心の活動が体から切り離されているとしたら、「このボールを蹴ろう」と考えて、そこから体が行動を起こしてボールを蹴る、というふうにどうやって物事が進むのだろう。この問いは、何世紀も哲学者たちを悩ませてきたもので、「心身問題」と呼ばれている。

機械の中の幽霊

20世紀イギリスの哲学者ギルバート・ライルは、心を体から切り離す考え方を退けた。ライルはこう言っている。私たちが「心」と呼んでいるものは、脳の働き以上のものではない。だから「心が体を動かしている」と言うのは、「機械の中の幽霊」を想像するようなものだ。

コウモリであるとは どのようなことか

この問いは、20世紀アメリカの哲学者トマス・ネーゲルが提示したものだ。ネーゲルはこう言っている。どれだけコウモリの脳について学んだとしても、実際に空を滑空するコウモリであるとはどういう感じなのか、けっして知ることはできない。ということは、その感覚は、コウモリの脳の中の処理とは別のところにあるはずだ。

そもそも なぜ感じるのか

現代オーストラリアの哲学者デイヴィッド・チャーマーズは、こんなふうに指摘している。心が〔体の〕どこかにあるとしても、そもそもどうして心が経験を持つのかは、それだけでは説明できない。足の指をぶつけたときに感じる痛みにはなんの意味があるのか。花の香りを嗅ぐと、どうして心の中で香りの花が咲くのだろう。

心の性質

心と体の関係について、脳には二種類の性質があると考える理論がある。一つは物理に関わる性質だ。例えば、表面に皺があるというのはその一つ。他方で、心に関わる性質もある。なにかを経験するというのはその例だ。この理論は「性質二元論」と呼ばれる。

大きさ

形

色

感情

感覚

記憶

君ならどう考える?

- 君の心は、体の一部だろうか。

- もし体の一部がなくなったら、心の一部もなくなるのだろうか。

- もし空を飛べる翼を造って、空を飛んだら、そのときの感じは、コウモリが飛んでいるときの感じと同じだろうか。

107

誰かが考えていることは分かるか

他の誰かが考えたり感じたりしていることを本当に知ることはできるだろうか。彼らも私と同じように考えるだろうか。そもそも彼らは考えているのだろうか。私たちは、他の人たちも自分と同じように考えたり感じたりしていると思うかもしれない。なぜなら、人びとの行動は、自分の行動と似ているからだ。でも、実際には心の中で起きていることは知りようがない。哲学ではこれを「他者の心の問題〔他我問題〕」と呼んでいる。

1 幸せなとき、君はにっこりするかもしれない。だから、誰かがにっこりするのを見て、「この人は幸せなんだな」と考えるのは自然なことだ。その人がなにを感じているかについての君の考えは、彼らの行動に基づいている。

「幸せだ」

「悲しい。でも
友だちに知られたくない」

2 でも、人は他の気持ちを隠して笑うこともできる。にっこりするふりをしているのかもしれない。そう考えると、誰かの気持ちや考えは必ずしも〔外から見て分かる〕行動に表れるとは限らない。

3 他の誰かが本当はなにを考えたり感じたりしているかが行動から分からないとしたら、そもそもその人が考えていることは知りようがあるだろうか。

哲学的ゾンビ

現代オーストラリアの哲学者デイヴィッド・チャーマーズは「哲学的ゾンビ」という存在を想像してみた。このゾンビたちは、普通の人たちと同じような見た目と行動をとる。でも、哲学的ゾンビは一切なにも考えていない。彼らの頭の中ではなにも起きていないのだ。

他の人の心を覗いてみることはできない。では、ある人が哲学的ゾンビではないことを、どうしたら確かめられるだろう。

4 赤いものを思い浮かべてみよう。自分が経験している赤は、他の人が経験している赤と同じかどうか、知る方法はあるだろうか。君かもう1人の人のどちらかが色盲の場合、可能かもしれない。でも、そうでない場合、心の中に入り込んで自分たちの経験が同じかどうかを知ることはできない。

自分 　　　　　　他の人

5 20世紀オーストリア系イギリス人の哲学者ルートヴィヒ・ウィトゲンシュタインによれば、言語は、他人の心の問題について考える方法を提供してくれる。「赤」という言葉の意味について私たちがお互いに同意するには、〔そう呼ばれる〕赤いものになにか共通点がなければならない。同じように、言語が機能するには他の人が必要だ。ここから、〔自分以外にも〕考える人が世界に存在していることが示される。

「赤」　　　　　　「赤」

君ならどう考える?

- 他の人がどう感じているかを、君はどうやって理解するだろう。

- 誰かが「痛い」と言った場合、その人が痛みを感じているかどうかをどうしたら知ることができるだろう。

- ロボットは心があるふりをできるだろうか。

自分 　　　　　　他の人

機械は考えられるか

コンピュータは、人間と同じようにものを考えられるくらいに発達するだろうか。SFには人間のように行動するロボットや機械がたくさん登場する。技術が進めば、エンジニアはさらに複雑な機械をつくることもできるだろう。未来の機械は感情をもったり、命令されずに行動するようになるだろうか。思想家の中にはそうなるだろうと考える人もいる。

機械に知能はあるか

「機能主義者」として知られる20世紀の哲学者たちがいる。彼らは、機械がどうつくられたかは関係なく、機械の機能こそが大事なのだと論じた。彼らは、機械の知能を機能と考えた。計算する能力はその一例だ。もし機械が知能があるように行動できるなら、機能主義者に言わせれば、それは知能なのだ。

チューリングテスト

イギリスのコンピュータ科学者アラン・チューリングは、1950年代にこんなテストを考案した。ある状況で機械が考えていると言えることを示すようなテストだ。そのテストでは、コンピュータが知能があるような行動を示すかどうかを測る。もし人が、その機械を人間だと信じ込むように騙せたら、機械はテストに合格した、というわけだ。

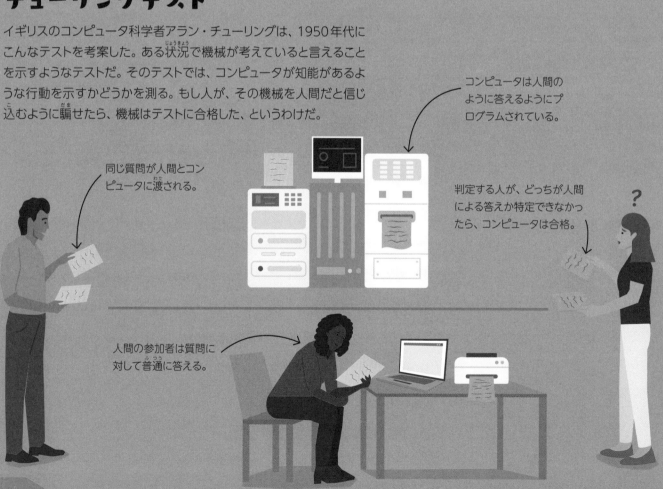

同じ質問が人間とコンピュータに渡される。

コンピュータは人間のように答えるようにプログラムされている。

判定する人が、どっちが人間による答えか特定できなかったら、コンピュータは合格。

人間の参加者は質問に対して普通に答える。

機械は人間と同じように
空想できるだろうか。

弱いAIと強いAI

「人工知能（AI）」とは、機械が知性〔知能の性質〕を
示す状態を指す言葉だ。AIについて「弱い」とか「強
い」と言われることがある。「弱いAI」は人間のよう
に行動するようプログラムしたもので、家のアシス
タントは現在の技術ですでに実現されている。機械
自身が心を持っているようなAIを「強いAI」という。
将来、強いAIも実現できると考える思想家もいる。

なにが違うのか

心を持った機械が実現すると考えるのは難しいかもしれ
ない。でもなぜだろう。機械は人間が造るものだからだ
ろうか。心を持っているものを造るのは無理だからだろ
うか。人間は生物学、化学、進化によって「造られてい
る」。もし機械に夢や精神生活があり得ないとしたら、ど
うして人間の場合は可能なのだろう。

ロボットの脳

機能主義者は、心の活動は脳の機能に過ぎないとすれば、
人間とは違う物質でできた脳にも心は生じる可能性があ
ると論じている。将来、人間の脳とまったく同じように働く
機械の脳を造ることができたら、機械の脳は人間と同じよ
うに考えたりできるのだろうか。

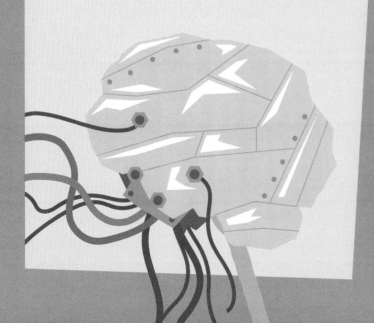

君ならどう考える?

- コンピュータはいつの日か人間のような
  知能を持つようになると思うかな。

- 機械で造られた脳は心を持つだろうか。

- 機械がなにかを理解しているかのように
  行動するとしたら、本当に理解しているか
  どうかは重要だろうか。

ロボットは理解するか

コンピュータがものを考えられる、という発想は面白い。でも、そんな機械があるとしたら、その機械の中では実際のところなにが起きているのだろう。人間がつくる人工知能は、なにかを理解しているとか、意識していると言えるだろうか。機械がまるで考えているかのように見えたとしても、実際になにかを理解しているわけではない、と主張する人は多い。

1 現代のアメリカの哲学者ダニエル・デネットはこう言っている。人がコンピュータについて「知能がある」と言う場合、それがどんなふうにプログラムされているか分からないからだ。例えば、チェスを指すコンピュータについて、私たちがそのプログラムを分かっている場合、コンピュータがチェスの指し方を「知っている」とは言えない。

プログラムされた命令に従ってチェスを指すロボット。

2 現代アメリカの思想家ジョン・サールによる思考実験に「中国語の部屋」というのがある。机に向かっている人は質問に答える。ただし、この人は質問の言語を話せないし読めないし理解できない。その代わりルールブックを見て答える。この人物は、コンピュータの中央演算処理装置（CPU）を表している。ルールブックはプログラムだ。この思考実験の狙いは、コンピュータが実際にはなにも理解していないのを示すことにある。

この人は中国語で書いた質問を部屋の中の人に渡す。

その答えを読んだ人は、部屋の中にいる人が中国語を理解していると思う。

この人は中国語で書かれた質問にルールブックを使って答える。

3 「中国語の部屋」に対する反論にこういうのがある。もしその人が部屋から連れ出されたら、現実世界で中国語の単語の意味を学べるだろう。世界の中でやりとりできるようなロボットなら、入力されるものや出力するものの意味を学べるだろう。

現実の世界では

学習するロボット

2016年にはじめて起動されたソフィアは、人間との会話を分析して、時間とともに改善されてゆくように設計されたロボットだ。ソフィアは、顔の表情や予めプログラムされた応答といった反応をするので、なにかを理解しているかのような錯覚を与える。

言葉はなにを意味してる?

「イヌ」と言うとき、実のところ何を意味しているのだろう。言葉は物事とどう関係しているのだろう。言葉の意味とは、その言葉が指している対象なのだろうか。言葉には意味があるのだろうか。この質問に「ある」と答えたくなるかもしれない。これまで言語の哲学を研究してきた多くの思想家が、そうではないと論じてきた。

言葉は記号だ

はじめの頃の言語の哲学者たちは、言葉自体は意味を持っていないと考えた。言葉はむしろ記号のようなもので、物事や考えを表している。君が記号と対象や考えの関係を学べば、記号を使ってそれらを指し示せるわけだ。言語を知らないと、言葉が対象や考えとどのように結び付いているかも理解できない。

現実の世界では

国を超えて通じる記号

場合によってはすぐ情報が欲しいことがある。しかも、特定の言語を知らない状態で。例えば、緊急時に出口を見つけるために、言語を使わずに人が理解できるような、国に関係なく通じる記号をつくってきた。

世界を描写する

ウィトゲンシュタインがはじめに書いた本によれば、言語の目的は世界を描写することだ。世界はさまざまな事実からできている。言語はカメラのように働いて、これを使うと世界の事実について誰かとやりとりできる。ウィトゲンシュタインはこう言っている。世界を描写しない文、例えば意見や判断を含むような文は、意味を持っていない。そうした文は、言葉にできないことを言おうとしているのだ、と。

ネコがマットの
上に座っている

このネコは
よいネコだ

ウィトゲンシュタインによれば、描写できない文があるとしたら、その文には「意味はない」。

言語ゲーム

ウィトゲンシュタインが後に書いた本では、言語の意味はその使われ方に見出されるという。私たちは、言語でゲームをしており、〔そこに参加するには〕話している人が使っているルールを知る必要がある。誰かが「水！」と大声で言ったとしたら、その意味は、言われた状況によってさまざまだ。

言語は社会だ

こんな場面を想像してみよう。自分が知らない言語を使う人がいて、ウサギを指しながら「ガヴァガイ」と言った。「哺乳類」とか「夕食」といった意味ではないとしても、「ウサギ」だと思って本当に正しいかどうか分からない。ひょっとしたら「ガヴァガイ」は「ウサギの部分の集合」という意味かもしれない。20世紀アメリカの哲学者ウィラード・ヴァン・オーマン・クワインによれば、お互いにその言葉を使ってやりとりできるなら、問題ではない。

ルートヴィヒ・ウィトゲンシュタイン

20世紀のオーストリア系イギリス人の哲学者ルートヴィヒ・ウィトゲンシュタインの言葉と意味についての研究は、私たちの言語についての考え方を変えた。初期に書いたもので、彼は意味の描画理論を展開した。だが、後にはそうした初期の仕事を棄てて、やりとりの道具としての言語という考え方について書いた。

家族のような類似

例えば「ゲーム」のように、いろいろな意味を持っている言葉がある。私たちがゲームと呼んでいるもの全部に共通するつながりは、一つの意味だけで説明できない。ウィトゲンシュタインは、そういう複数の意味同士のあいだには「家族のような類似」があると言っている。人がゲームと呼んでいるものは、互いに重なりあうような意味の類似性を共有しているというわけだ。

よい議論をするには なにが必要か

哲学の議論は口げんかではない。ある人が一連の文をつくり、そこから結論が導き出されることを指している。そうした文は「前提」といって、すべて結論につながるべきものだ。人は、結論が正しいことを証明するために、またはその結論が正しい可能性が高いことを証明するために議論する。では、ある議論が他の議論より優れている理由はなんだろうか。

演繹による議論

誰かが、ある議論の結論が正しいはずだと証明しようとする場合、演繹〔演べ広げて糸を引き出すような方法〕による議論を組み立てる。よい演繹の議論は妥当（その結論は前提から導き出される）で健全な（妥当であり、前提が正しい）ものでなければならない。

妥当な演繹の議論では、すべての前提が正しいと分かれば、その結論は正しいはずだ。ただし、議論が妥当であるために、その前提が正しいものである必要はない。

前提は、結論を支持する文のこと。

結論は、前提から導かれなければならない。

すべてのイヌは哺乳類だ。

＋

すべてのダックスフントはイヌだ。

＝

すべてのダックスフントは哺乳類だ。

✓

妥当な議論では、前提がすべて正しく、健全だ。議論が健全ではない場合、議論が妥当ではない（結論が前提から導き出されない）か、正しくない前提があるためだ。

ブタは動物だ。

＋

すべての動物は飛べる。

＝

ブタは飛べる。

✗

この前提は正しくないので、議論は健全ではない。

この議論はそれでも妥当だ。なぜなら、結論が前提から導き出されているからだ。

116

演繹の間違い

演繹による議論は適切に組み立てることが重要だ。ぱっと見では妥当に見える議論でも、結論が必ず正しいとは限らない。たとえ前提がすべて正しい場合でも。こういう議論には、誤りが含まれている。ここに示すのは間違った推論の例だ。

その女の子が双子なら、彼女には兄弟か姉妹が1人いる。

+

その女の子は双子ではない。

=

したがって、その女の子は兄弟も姉妹もいない。

この結論は、最初の前提とは「あべこべ」（反対）の前提から導き出されている。つまり、与えられた前提ではなく、「その女の子が双子ではないなら、彼女には兄弟も姉妹もいない」という議論だ。

今朝雨が降ったなら、道は濡れただろう。

+

道は濡れている。

=

したがって、今朝雨が降ったはずである。

この結論は、最初に読む前提の「逆をつくる」（用語を入れ替える）ことで得られる。「もし道が濡れているなら、今朝は雨が降った」というふうに。ただし、道が濡れている理由は他にもあり得る。

帰納による議論

誰かがある議論の結論が正しい可能性が高いことを証明しようとする場合、帰納〔複数のものを一つに帰し納めるような方法〕による議論を行う。科学者は帰納による議論をいつも使っている。もし実験を何度も繰り返して、同じ結論が導かれるなら、次に行う実験も同じ結論が得られそうだ。帰納の議論は妥当ではないが、強い場合と弱い場合がある。

晴れた夜に外を見ると、いつも星空が見えた。

+

今夜も晴れている。

=

今夜も星空が見えるだろう。

この前提は、結論が正しいという強い証拠を提供している。

これまで二匹のネコに会ったことがある。

+

私が出会ったネコは、私が嫌いだった。

=

次に会うネコも私を嫌うだろう。

この議論は弱い。たった二回遭遇したネコを証拠にしているからだ。

117

間違った議論を見分ける

間違った議論の中にはよく繰り返されるものがある。そうした議論は分類されて名前がつけられている。間違った推論の例は「誤謬」と言われる。よくある誤謬の例をいくつか説明しよう。誰かが誤謬を使っている場合、必ずしもその考え方そのものに間違いがあるとは限らない。人は自分の見方を他のみんなに納得させるために、わざと間違った議論をすることもある。

人を攻撃する

誰かが相手の外見や性格を攻撃して、その人の考えに反対する場合、「人身攻撃」の誤謬（ラテン語で「人を攻撃する」という意味だ）を犯しているかもしれない。例えば「そんな服を着てる人の言うことはなに一つ信じられない」というのは「人身攻撃」型議論だ。

藁人形

人は、相手の議論を勝手に作り変えておいてから、それに対抗することがある。例えば10代の人がこんなふうに言うとする。「友だちと遊びに行かないで勉強しろって言うの？　なんで私の友だちをそんなに嫌うの？」この種類の誤謬を「藁人形攻撃」という。

いくら藁人形を倒しても、相手の議論そのものは倒せない。

滑り坂論法

「滑り坂」という誤謬では、あるAということから、もっと悪いBということが起きるという話になる。AとBにはそんな関係はないのに。例えば、こんなふうに言う学生はその一例だ。「明日の最初のテストで不合格になったら、一年中ずっと不合格になるよ。そしたらいい仕事になんかつけっこないさ」

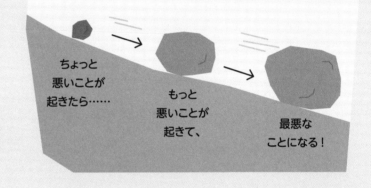

ちょっと悪いことが起きたら……

もっと悪いことが起きて、

最悪なことになる！

誤った二分法

「映画に行くか食事に行くかのどちらかです」、これは「誤った二分法」の例だ。話し手は、単に二つの選択肢を出しているだけで、他にも例えば「家にいる」といった選択肢もある。ただし、誤った二分法を使うと、選択肢がありすぎるような場合には役に立つ。

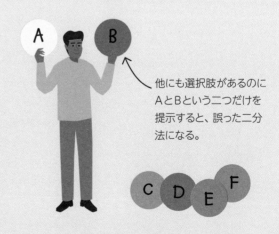

他にも選択肢があるのにAとBという二つだけを提示すると、誤った二分法になる。

因果の誤解

ある出来事Aの後に出来事Bが起きる。このとき、間違って出来事Aが出来事Bの原因とされてしまうことがある。これを「因果の誤解」（ラテン語で「出来事の後」という意味）という。例えば、鶏が日の出より前に鳴き始める。だからといって「この鶏が鳴いたから日の出になったんだ」と言えば、これは「因果の誤解」の誤謬だ。

権威に訴える

自分の議論について誰かを説得するために、専門家を持ち出すとしたら、それは「権威に訴える」という誤謬を犯しているかもしれない。その専門家は、問題となっていることについてなにを知っているだろうか。彼らが偏った見方（バイアス）をする理由はあるだろうか。その専門家と、いま目の前で議論していることにどんな関係があるのかと考えてみるのは、いつでもよいやり方だ。

特定の企業で働く科学者がいるとして、その人がその企業について言うことを信用できるだろうか。

パラドックス

時に議論から矛盾が生じたり、常識に反するように見えることがある。どうしてそうなるのか、うまく言うのは難しい。こういう議論を「パラドックス〔逆説〕」という。古代ギリシアの哲学者エレアのゼノンは、いろいろなパラドックスを思いついた。例えば、こんなのがある。矢が飛んでいるとする。矢はどの瞬間も特定の位置にあって動いていない。では、この矢はそもそもどうやって動いているのか。

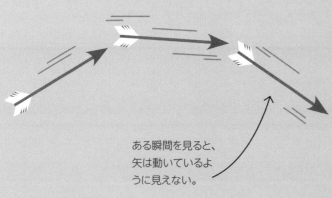

ある瞬間を見ると、矢は動いているように見えない。

哲学の歴史

宇宙は何からできているのかという探究から、よい人生の送り方を人びとに説くことまで、哲学者たちは古代からずっと、世界や人間の存在について真実を明らかにしようとしてきた。この年表では、現在の私たちの考え方に影響を与えた哲学者のうち、ほんの一部だけれど、ご紹介しよう。

タレス

この古代ギリシアの哲学者が書いたものは何も残っていない。ただし、タレスについて他の人が書き残したものから知ることができる。タレスは「宇宙は何からできているか」と問うた最初の人の1人だった。彼は、宇宙は水からできていると考えた。

紀元前624年頃–548年頃

デモクリトス

ギリシアの哲学者デモクリトスは、宇宙をつくる要素を研究する中で、万物は「アトム（原子）」という、それ以上分解できない物質からできていると考えた最初の1人だった。

紀元前460年頃–370年頃

ソクラテス

このギリシアの哲学者については、弟子のプラトンを通じて知られている。ソクラテスは、討論によって他の人のものの見方に挑んだ。彼がものを問う方法は、現在では「ソクラテスの方法」と呼ばれている。

紀元前470年頃–399年

プラトン

古代ギリシアの哲学者プラトンは、「アカデメイア（アカデミー）」といって、優れた頭脳の持ち主たちが議論する大学のような機関をはじめてつくった。存在、知識、精神、社会についてプラトンが考えたことは、西洋思想の中心にあり続けている。

アリストテレス

ギリシアの思想家アリストテレスは、ただ理屈を考えるだけでなく、理論を発展させるために物的な証拠を使う方法を開拓した。彼は生涯を通じて200冊以上の本を書いた。

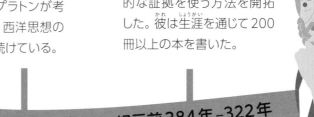

紀元前429年頃–347年　紀元前384年–322年

ガウタマ・シッダールタ

仏教の言い伝えによれば、この南アジアの哲学者は、聖なるイチジクの木、菩提樹の下で瞑想しているときに悟りを開いたという。彼は仏陀として知られるようになり、苦しみの退け方を人びとに教えた。

紀元前563年頃–483年頃

孔子

中国の思想家、孔子は人生のほとんどを、現在の中国にあたる地域を旅して過ごした。人びとに、徳のある生き方や他人に敬意を払うことについて教えた。彼の考えは、中国の社会にずっと影響を与え続けている。

紀元前551年–479年

マンティネイアのディオティマ

ギリシアの思想家ディオティマは、他の哲学者が書いたものに登場する人物で、愛について論じている。彼女によれば、愛の意味は、霊感と美を求めるところにある。

パルメニデス

ギリシアの思想家パルメニデスは、宇宙の物理的な性質を探る中で、存在できるものは何もないと論じた。あらゆるものは永遠で変わらない、というわけだ。

紀元前5世紀

紀元前515年頃

荘子

中国の思想家、荘子はチョウになった夢の話でよく知られている。彼は真面目な哲学の論点について、気楽な物語を書いた。荘子自身が、考えを笑いに乗せて、合理的な考え方から解放されたかったのだ。

アル＝キンディ

イラクの哲学者アル＝キンディは、哲学とイスラム教の関係を見出そうとした。彼は、古代ギリシアの考え方をイスラム世界にもたらした最初の1人だった。

紀元前369年頃–286年

801–873年

デイヴィッド・ヒューム

スコットランドの思想家ヒュームは、知識は経験から得られると考えた。いままでパイナップルを食べたことがなかったら、どうやってパイナップルの味を知ることができるだろう。彼は
また、過去に基づいて未来を予測することはできないと述べて、科学の信頼性に反対した。

ジャン＝ジャック・ルソー

スイスの哲学者ルソーは、10代のころにフランスへ逃げた。彼は社会を批判した。というのも、社会が人の自由を制限しているからだ。人は法律を自由に選択すべきだとも考えた。彼の考え方は、フランス革命に大きな影響を与えた。

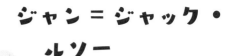

1711–1776年

1712–1778年

ジョン・ロック

イギリスの哲学者ロックは、君主が統治するのは神から与えられた権利があるからだという考えを否定した。そうではなく、権力は人びとによって選ばれた政府に与えられるべきだと考えた。ロックは革命的な思想を持っていたため、二度の亡命を余儀なくされた。

アン・コンウェイ

この当時、女性は大学で学ぶことを禁じられていたが、イギリスの哲学者アン・コンウェイはそれでも哲学の研究を続けた。指導者であるケンブリッジ大学教授ヘンリー・モアにデカルトの著作についての手紙を書いた。彼女の著作は、その死後に匿名で刊行された。

1632–1704年

1631–1679年

イブン・スィーナー

アラビアの医者イブン・スィーナーは医学と天文学を専門としていた。彼は、心は体と切り離されていると考えた。なぜなら、五感をすべて失った人も考えることができるからだ。

トマス・アクィナス

イタリアの修道士アクィナスは、中世のキリスト教哲学者で一番有名な人だ。彼は古代ギリシアの思想家アリストテレスの仕事とキリスト教の原理を両立させる仕事をした。教皇によって1323年に聖人に列せられた。

980–1037年

1225–1274年

イマヌエル・カント

ドイツの思想家カントは、人間の知識には限りがあるかどうかを知りたいと思った。彼は、世界が実際にどのようなものかを私たちは知ることができないと結論した。私たちは感覚に頼って情報を得ているので、物事そのものではなく、その表象を経験できるだけなのだ。

ジェレミー・ベンサム

子供の頃から神童だったイギリスの哲学者ベンサムは、功利主義をつくった人だ。国家の政治に関する決定は、最大多数の人びとにとって最大の幸せを達成することを目的とすべきである、という理論だ。

オランプ・ド・グージュ

フランスの劇作家ド・グージュは、最初のフェミニストの1人だ。フランス革命の時代にものを書いた人で、女性の平等な権利を要求し、新政府の無策に不満を感じていた。彼女は遠慮なく意見を述べた結果、ギロチンで処刑されてしまった。

1724–1804年

1748–1832年

1748–1793年

ルネ・デカルト

フランスの哲学者で科学者のデカルトは、哲学に新しい方法をもたらした。彼は哲学の問題を、数学者が厄介な計算に取り組む場合のように、論理と証明を使って分析したのだ。

トマス・ホッブズ

イギリスの哲学者ホッブズは、人は本質的に利己的だと考え、「社会契約」が必要だと書いた。つまり、人びとは全能の君主から保護を受けるのと引き換えに個人の自由を諦めるという契約である。

1596–1650年

1588–1679年

ニッコロ・マキアヴェッリ

イタリアの政治家マキアヴェッリは『君主論』で有名だ。その本では、権力を持った人たちに実践的な助言をしている。マキアヴェッリは、暴力や詐欺のようなずるい戦術も、支配者が目的を達するのに役立つなら許されると考えた。

フランシス・ベーコン

イギリスの哲学者フランシス・ベーコンは、学問の知識は、観察と実験によってのみ可能だと考えた。だが、食料の保存が彼の破滅を証明してしまった。ベーコンは鶏に雪を詰め込む作業をした際、肺炎にかかって死んでしまったのだ。

1469–1527年

1561–1626年

メアリー・ウルストンクラフト

イギリスの作家ウルストンクラフトは、初期のフェミニズムの開拓者だ。女性は男性と同じ権利を持ち、平等に教育を受けられるようにすべきだと論じた。彼女は、社会が女性に対して十分な機会を与えていないと批判した。

ジョン・スチュアート・ミル

イギリスの思想家ミルはこう考えた。人は、他の人の幸せを邪魔したり傷つけたりしない限り、自分の幸せのためになんでも自由に行えるべきだ。彼は、女性の平等な権利や女性のための教育を擁護した。

1759–1797年

1806–1873年

ジャン＝ポール・サルトル

フランスの思想家サルトルにとって、人生は混沌として意味がないものだ。著作の中で、人間の人生に目的を与えるような神はいないと論じている。自分の存在する理由を見つけるのは、私たち次第なのだ。

シモーヌ・ド・ボーヴォワール

フランスの作家ボーヴォワールは『第二の性』という本で、女性を抑圧し、女性を男性と区別して劣った存在として扱う社会を批判している。彼女は変化を要求した。当時、彼女の著作は、まったく新しい考え方を示したのだった。

1905–1980年

1908–1986年

アルネ・ネス

ノルウェーの哲学者ネスは20世紀の環境運動に大きな影響を与えた。人は自然を制御しようとするのを止めて、「山のように考えよう」と促した。つまり、自分たちも自然界の平等な一部として見るという意味だ。

ピーター・シンガー

オーストラリアのピーター・シンガー教授は、動物の権利を擁護している。動物も人間と同じように苦しみを感じる能力があるのだから、「平等な配慮」を与えられるべきだ、と主張している。シンガーにしてみれば、動物を粗末に扱うことは差別の一形態だ。

1912–2009年

1946年–

カール・マルクス

マルクスは、ドイツの哲学者で仲間のフリードリヒ・エンゲルスと共に共産主義を発展させた。人びとに「自分たちのことは自分たちで決めよう」「自分たちの社会の富を管理しよう」と呼びかける革命の理論だ。この考えは1917年のロシア革命のきっかけとなった。

1818-1883年

W. E. B. デュ・ボイス

黒人アメリカ人の思想家デュ・ボイスは、多くの人から偉大な社会的指導者と見られている。彼は、人種と社会の不平等と戦うために、自分の考えや著作を応用した実践者だった。

1868-1963年

カール・ポパー

オーストリア生まれの思想家ポパーは、科学は「反証可能性」によって機能すると考えた。どれだけ証拠があっても、後から現れる新たな結果によって間違っていることが判明する可能性があるので、なにかを正しいと証明することはできない、というわけだ。

1902-1994年

ルートヴィヒ・ウィトゲンシュタイン

オーストリア生まれの哲学者ウィトゲンシュタインは、変わった人だった。第一次世界大戦に従軍中、ノートにアイデアを書き留めていた。彼は言語の実用性を研究して、言葉というものは、人びとのあいだでその使い方について合意された場合に意味を持つのだ、と考えた。

1889-1951年

ベル・フックス

黒人アメリカ人のフックス教授は、人種が分断されたケンタッキー州の町で育った。著作の中で彼女は、人種差別や階級差別といった多様な差別が、どのように重なり合い、互いに強化しあい、多層にわたる不正義を生み出しているかを明らかにしている。

1952-2021年

ジャミラ・リベイロ

黒人フェミニズムを支持する、黒人ブラジル人の哲学者リベイロは、ブラジルにおける黒人女性の経験で、人びとの注目を集めている。彼女は黒人女性が、肌の色と性別の両方で不公平に扱われる社会構造を強調している。

1980年-

用語集

【あ】

欺く（あざむく／deceive）
誰かをわざと騙して正しくない事柄を信じさせること。

意識（いしき／consciousness）
人が自分の存在や自分のまわりの世界について持っている自覚のこと。

意図（いと／intention）
「こうしよう」と決めたこと。または、行動の仕方を決めること。

ヴァーチャル（ゔぁーちゃる／virtual）
現実世界ではなく、デジタルでなにかが存在していること。

疑い・懐疑（うたがい・かいぎ／doubt）
哲学では、なにかを信じないこと。例えば、懐疑主義者は、私たちがなにかを確実には知ることができるかどうか疑う。

演繹法（押し広げる方法）（えんえきほう／deduction）
推論の方法の一つ。ある前提から、論理を辿って結論を導き出すこと。「帰納法」も参照。

【か】

懐疑主義（かいぎしゅぎ／scepticism）
哲学の立場の一つで、知識の可能性を否定するか、疑う立場のこと。

概念（がいねん／concept）
考え、アイデアのこと。

科学的方法（かがくてきほうほう／scientific method）
科学者が、実験によってアイデアを試験して、新しい事実を発見する方法のこと。

過剰（かじょう／exess）
なにかがたくさんあって、ちょうどよいと思われる状態を超えていること。

仮説（かせつ／hypothesis）
限られた証拠から作られた予想のこと。研究を始める出発点となる。

仮定（かてい／assumption）
証拠はないけれど正しいと考えられていること。

体・物（からだ・もの／physical）
感覚を通じて知ることができるものに関わること。

心と対立する。

感覚（かんかく／sensation）
五感によって体で感じること。

観察（かんさつ／observation）
なにかをよく見る活動のこと。

帰納法（まとめる方法）（きのうほう／induction）
推論方法の一つ。過去の例をもとにして、未来の結論を引き出すこと。演繹法も参照。

義務（ぎむ／duty）
道徳や法律においてすべきこと、または責任のこと。

議論（ぎろん／argument）
哲学では、一連の文のこと。その一連の文では、ある文は、他の文に基づいて正しい（もしくは正しい可能性が高い）ことが示される。

経験（けいけん／experience）
誰かが、したり、見たり、感じたりしたことから得た知識や知恵のこと。

経験主義（けいけんしゅぎ／empiricism）
心の外にある物事についての知識は、すべて感覚の経験によって得られるという考え方のこと。

結果（けっか／consequence）
特定の出来事や行動から生じること。

結果（けっか／outcome）
ある行動、活動、出来事からもたらされる結末のこと。

決定論（けっていろん／determinism）
あらゆる出来事は、人間の行動も含めて、それ以前の原因から生じた結果だという考え方のこと。「自由意志」に反対する議論。

結論（けつろん／conclusion）
議論の最後の部分のこと。議論の前提からもたらされる結果。

権利（けんり／rights）
道徳や法律に関わる資格のこと。例えば、食べ物や住む場所や平等な扱いなど。

原理（げんり／principles）
物事がどのように働くかを、説明したり制御したりするルールのこと。

行動（こうどう／behaviour）
誰かやなにかが動いたり行ったりする仕方のこと。

特に他の人や状況や出来事に反応すること。

公平（こうへい／equity）
誰もが同じように扱われるのではなく、個人や集団が目的を達成するために必要なものを与えられること。特に法的な権利や社会での地位や賃金についていう。

公平（こうへい／fair）
ある人たちが他の人たちより贔屓されるような扱いを誰も受けていないこと。

合理（ごうり／rational）
明確な推論に基づいていること。

合理主義（ごうりしゅぎ／rationalism）
私たちの感覚による経験に頼らなくても、推論を使えば世界についての知識を得られるという考え方のこと。

個性（アイデンティティ）（こせい／identity）
その人はどんな人かという感覚のこと。性別、外見、性格のような特徴に基づくことが多い。

誤謬（ごびゅう／fallacy）
推論での間違いのこと。その結果、誤った文ができる。

【さ】

錯覚（さっかく／illusion）
誤った信念のこと。または、感覚から受けとった知覚が誤って解釈されること。

思考実験（しこうじっけん／thought experiment）
想像の中でどうなるか仮定してみること。哲学者はこれを使って概念や理論を探る。

死後の世界（しごのせかい／afterlife）
死んだあとの人生。文化や宗教によって死後の世界についての考え方も違う。

自制心（じせいしん／self-control）
自分の衝動、感情、行動を制御できる能力のこと。

自然・本性（しぜん・ほんしょう／nature）
人間や物に備わっている基本的な性質のこと。

自発性（じはつせい／voluntary）
強制されてではなく、自分の自由意志で行動すること。

社会 (しゃかい／society)
お互いに合意したルールに従いながら、まとまって一緒に暮らす人びとの集団のこと。

自由 (じゆう／freedom)
強制されずに自分で考えたり選んだり行ったりする能力のこと。

〔権利としての〕自由 (けんりとしてのじゆう／liberty)
社会の中で人びとに与えられた自由のこと。

自由意志 (じゆういし／free will)
人が、外から強制されずに行動を選ぶ能力のこと。

主張 (しゅちょう／claim)
なにかについて正しいと言う文のこと。

証明 (しょうめい／proof)
証拠のこと。または、なにかが正しいと明らかにする議論のこと。

真・正しい (しん・ただしい／true)
事実や現実に一致すること。本物、正確、的確であること。

人工知能 (AI) (じんこうちのう／Artificial Intelligence)
コンピュータで表現された知能のこと。たいていは人間の知能を必要とするような作業を行うように設計されている。

信念 (しんねん／belief)
なにかが正しいと受け入れたり信じたりすること。証拠がない場合でも信じたりすること。

正当化 (せいとうか／justification)
なにかについて納得できる理由、ちゃんとした理由のこと。

正当化する (せいとうかする／justified)
ちゃんとした理由に基づいていること。

前提 (ぜんてい／premise)
議論の一部となる文のことで、ここから結論が導かれる。

素粒子 (そりゅうし／particle)
物質を構成する小さな成分のこと。

存在 (そんざい／existence)
生きているとか、現実にそうなっているという状態のこと。

ゾンビ (ぞんび／zombie)
哲学では、見た目は人間のように見えるけど、意識がない存在のこと。

【た】

対話 (たいわ／dialogue)
2人かそれ以上の人の会話のこと。哲学の議論では、さまざまな側面を検討するために使われることもある。

楽しみ・快楽 (たのしみ・かいらく／pleasure)
幸せな感じ、満足な感じ、嬉しい感じのこと。

魂 (たましい／soul)
「心」とか「精神」とも呼ばれる。私たちが「自分」だと感じている部分のことで、感じたり考えたりできる。哲学者の中には、魂は体から分離されて、永遠に生きると考える人もいる。

知覚 (ちかく／perception)
なにかに気がつくこと。例えば、物とか体の感覚とか出来事について感覚によって気がつくこと。

知識 (ちしき／knowledge)
信念のうち、正しく、かつ正当化されている必要があるもの。

哲学 (てつがく／philosophy)
もとは「知恵を愛する」という意味の言葉で、自分自身や人生について真理を探し求めるためのいろいろな方法を説明する。

道教 (どうきょう／daoism)
古代中国の哲学のこと。道教の信者は、自然と調和したバランスのとれた生活を送るのがよいと信じている。

同時代、現代 (どうじだい、げんだい／contemporary)
同じ時代に存在したり生じたりすること。現代に存在したり生じたりすること。

道徳 (どうとく／morality)
ある信念や行動が正しいか間違っているかを見分けるのに使う基準のこと。

討論 (とうろん／debate)
2人か3人以上の人が、お互いに違う考えをもって話しあうこと。

徳 (とく／virtue)
人間に備わる優れた性質のこと。例えば、勇気や正直など。

【は】

バイアス (ばいあす／bias)
個人の判断のこと。人はそれぞれあるものを他のものより好み、不公平であることも多い。

表象 (ひょうしょう／represent)
言葉や図を使ってなにかを表すこと。

平等 (びょうどう／equality)
個人や集団が同じように扱われること。特に法的な権利や社会での地位や賃金についていう。

不死 (ふし／immortal)
死なない状態、永遠に生きる状態のこと。

物体・実体 (ぶったい・じったい／substance)
物質や材料のこと。なにかをつくるもとになる。哲学では、他のものに頼らずに存在するもののこと(実体)。

普遍 (ふへん／universal)
いつでも、すべての人やすべてのものに当てはまること〔そのようにつくられたもの〕。

文化 (ぶんか／culture)
特定の集団や社会で共有されている芸術、活動、ものの考え方、習慣、価値などのこと。

【ま】

間違った議論 (まちがったぎろん／falsified)
間違っていることが証明された理論のこと。

矛盾 (むじゅん／contradiction)
文や文章に、全部が同時に正しいことがあり得ないような考えが含まれている状態。

命題 (めいだい／statement)
正しいか間違っているか(真か偽か)のどちらかである文や主張のこと。

【ら】

理想 (りそう／ideal)
完全さ、美しさ、卓越性などの基準のこと。なにかが、誰かが達成できるもの。

良心 (りょうしん／conscience)
正しいとか間違っているという道徳について人が持つ感覚のこと。行動を導くものと言われている。

理論 (りろん／theory)
考え(アイデア)や、一連のルールや原理のこと。事実や出来事を説明するのに使う。

論理 (ろんり／logic)
なにかが正しいか間違っているか(真か偽か)を見分けるために推論を使うこと。また、哲学の一部門で、推論を研究すること。例えば、議論を組み立てたり、議論の欠点を特定することなど。

さくいん

ACKNOWLEDGMENTS

DK would like to thank the following people for their assistance in the preparation of this book:

Additional illustrations: Clarisse Hassan; additional text contributions: Zaina Budaly, Marcus Weeks, and Amanda Wyatt; picture research: Niharika Chauhan; Senior Jackets Designer: Suhita Dharamjit; Production Editor: Gillian Reid; proofreading: Victoria Pyke; index: Elizabeth Wise.

The publisher would like to thank the following for their kind permission to reproduce their photographs:

(Key: a-above; b-below/bottom; c-centre; f-far; l-left; r-right; t-top)

10 123RF.com: ssilver (cb). 22 Alamy Stock Photo: Kay Hawkins (br). 33 Getty Images / iStock: Adam Smigielski (tc). 57 Shutterstock. com: FotoRequest (cla). 77 Dreamstime.com: Aaron Amat (cr). 79 Shutterstock.com: Gorodenkoff (tr). 87 Alamy Stock Photo: DEA / A. VERGANI (cr). 95 Shutterstock.com: Riccardo Mayer (br). 98 Shutterstock.com: TFoxFoto (cr). 105 Alamy Stock Photo: Image Source / Callista Images (br). 113 Dreamstime. com: Toxawww (br). 114 Getty Images / iStock: Stefanie Keller (cra)

All other images © Dorling Kindersley
For further information, see: www.dkimages.com